VOTRE MISSION SUPRÊME

365 façons de mettre l'inspiration dans votre vie

Dr Wayne W. Dyer

ADA
éditions

Syntonisez radio Hay House sur hayhouseradio.com

L'intention de l'auteur se limite à offrir de l'information de nature générale pour aider ses
lecteurs dans leur recherche de bien être émotif et spirituel. L'usage à titre personnel d'une
information contenue dans cet ouvrage n'engage ni la responsabilité de l'auteur ni celle de
l'éditeur.

Le matériel de ce livre a été adapté du *Inspiration Perpetual Flip Calendar*,
de Dr Wayne W. Dyer (Hay House, Inc. 2007).

Éditeur : François Doucet
Traduction : Josée Guévin
Révision linguistique : L. Lespinay
Correction d'épreuves : Nancy Coulombe, Carine Paradis
Montage de la couverture : Matthieu Fortin
Design de la couverture : Nick Welch
Design de l'intérieur : Charles McStravick
Mise en pages : Sébastien Michaud
ISBN : 978-2-89565-896-2
Première impression : 2009
Dépôt légal : 2009
Bibliothèque et Archives nationales du Québec
Bibliothèque Nationale du Canada

Éditions AdA Inc.   **Diffusion**
1385, boul. Lionel-Boulet   Canada: Éditions AdA Inc.
Varennes, Québec, Canada, J3X 1P7   France: D.G. Diffusion
Téléphone : 450-929-0296   Z.I. des Bogues
Télécopieur : 450-929-0220   31750 Escalquens — France
www.ada-inc.com   Téléphone : 05.61.00.09.99
info@ada-inc.com   Suisse :   Transat — 23.42.77.40
                                       Belgique : D.G. Diffusion — 05.61.00.09.99

Imprimé en Chine

Participation de la SODEC. ꃮODEC
Nous reconnaissons l'aide financière du gouvernement du Canada par l'entremise du
Programme d'aide au développement
de l'industrie de l'édition (PADIÉ) pour nos activités d'édition.
Gouvernement du Québec — Programme de crédit d'impôt pour l'édition de livres — Gestion
SODEC.

**Catalogage avant publication de Bibliothèque et Archives nationales du Québec
et Bibliothèque et Archives Canada**

Dyer, Wayne W.

    Votre mission suprême : 365 façons de mettre de l'inspiration dans votre vie

    Traduction de: Your ultimate calling.
    ISBN 978-2-89565-896-2
    1. Méditations. 2. Inspiration - Aspect religieux. 3. Réalisation de soi -
    Aspect religieux. I. Titre.

BL.624.2.D9314 2009   204'.32   C2009-940352-8

VOTRE MISSION SUPRÊME

INTRODUCTION

«Je vous propose de prendre conscience qu'il est possible de revenir à un état permanent

d'inspiration,

car cela représente le véritable

sens de la vie.»

J'ai écrit ce livre parce que je suis absolument persuadé que l'on peut cultiver l'inspiration afin qu'elle devienne une force motrice tout au long de la vie, plutôt que de ne se manifester qu'à l'occasion et de disparaître tout aussi mystérieusement, comme si elle était indépendante de nos désirs. Tout le monde a de l'inspiration! Elle n'est pas réservée aux grands génies créatifs des domaines artistiques et scientifiques : elle est notre droit légitime divin.

En lisant chacune des pensées de ce livre, vous trouverez des suggestions précises pour vivre en-Esprit. Je vous offre un plan d'action pour vivre dans l'inspiration — *votre mission suprême.*

— Dr Wayne W. Dyer

1

Lorsque vous êtes inspiré,
votre cœur chante
sa gratitude pour
chaque respiration;
et vous êtes *tolérant,
joyeux et aimant.*

2

Plutôt que de subir le matraquage

des médias déprimants,

fermez la télé, changez le poste

de radio, refermez le journal

et affirmez : *Je ne souhaite*

plus me trouver dans un champ

d'énergie dont les ***vibrations***

ne sont pas ***en harmonie*** *avec*

l'Esprit.

3

Les gens respectent vraiment
ceux qui consentent à dire
ce qu'ils pensent...
ou, mieux encore,
qui vivent dans
la vérité
de ce qu'ils
ressentent.

4

Lorsque
vous étiez
en-Esprit avant   de vous
incarner,   votre but
était élevé   et vos attentes.
à *l'image de*   *Dieu*,
Réappropriez-vous   cette *vision*.

5

En exerçant votre mémoire,
vous serez en mesure de vous rappeler
vos souvenirs *d'amour, de paix
et de joie* remontant à l'enfance
et même plus loin encore.
Sans doute, découvrirez-vous que vous
avez davantage accès à votre passé et
à vos origines spirituelles que vous
ne l'auriez cru.

6

Soyez conscient
de la façon dont
la force divine
vous a déjà accordé
de nombreux bienfaits
dans cette vie
et continue
de le faire.

7

Avant de débuter votre journée,

passez un moment avec Dieu tôt le matin.

Au réveil, dites-vous,

« Voici mon moment avec Dieu. »

Recueillez-vous,

ressentez la paix

et, surtout,

exprimez votre

gratitude.

8

Offrez une forme de *générosité inattendue* à quelqu'un, de préférence un étranger, tous les jours pendant deux semaines. Plus vous vous pratiquerez à être généreux, plus vous aurez une influence inspirante sur les autres.

9

Anticipez un monde de paix.

Attendez-vous à de la santé,
de l'abondance et de l'amour
dans votre vie
et dans celle des autres.

10

Lorsque vous
vous souvenez d'appeler à vous
le bien-être de Dieu en
sachant que vous êtes
constamment connecté à cette
Source, c'est alors que vous êtes
inspiré.

11

Créez un espace
sacré dans votre
maison, un lieu privé
où un autel peut servir de résidence
symbolique à votre vision
intérieure. En passant près de ce lieu,
offrez une prière silencieuse
et exprimez votre gratitude pour la
présence de l'inspiration dans votre vie.

La volonté d'écouter

votre inspiration

12

et d'agir en fonction d'elle,

indépendamment de l'opinion

d'autrui, est impérative

pour vivre la vie que

vous désirez.

13

Rappelez-vous
    qu'il n'est pas cruel
        de détruire votre ego,
puisqu'il s'agit d'un
        faux soi
            de toute façon.

14

Choisissez de fréquenter des gens
qui vivent surtout *en-Esprit*.
Pour cela, vous devez d'abord
identifier ceux qui sont inspirés
et inspirants, c'est-à-dire des individus
*qui se sont élevés au-dessus
de leur ego* et des vanités
de ce monde.

15

Affirmez,

en le répétant

plusieurs fois au cours de la journée :

J'attire la paix, non pas le conflit.

16

Si vous arrivez à transcender une aversion au silence, alors vous *pourrez transcender* beaucoup d'autres souffrances. Et c'est dans ce silence que le souvenir de Dieu sera *activé*.

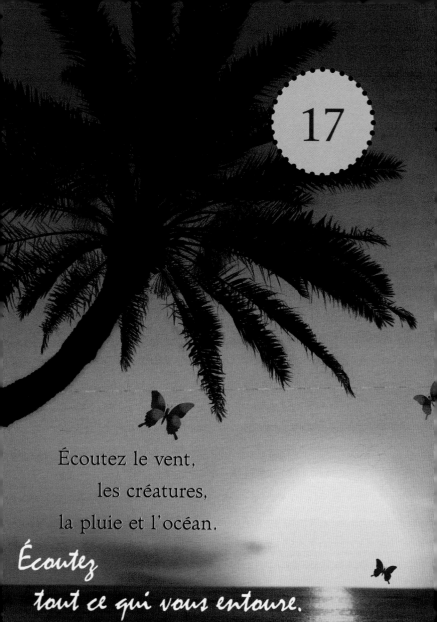

17

Écoutez le vent,
les créatures,
la pluie et l'océan.
Écoutez
tout ce qui vous entoure.

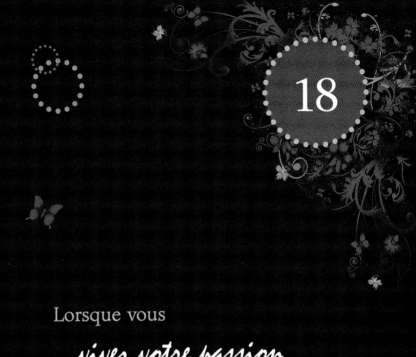

18

Lorsque vous

vivez votre passion

avec enthousiasme,

quelle qu'elle soit, vous transmettez des

signaux spirituels à ceux qui vous entourent

indiquant que vous êtes *en-Esprit* —

que vous aimez qui vous êtes et ce

pourquoi vous êtes venu sur Terre,

et quiconque entre dans votre

champ de vision.

19

Essayez de *cesser* de donner
une valeur en argent à tout ce que
vous avez, faites et dites.

*Faire ce que votre cœur
vous dit*

vous apportera de la joie plutôt
que de vous indiquer
si c'est rentable.

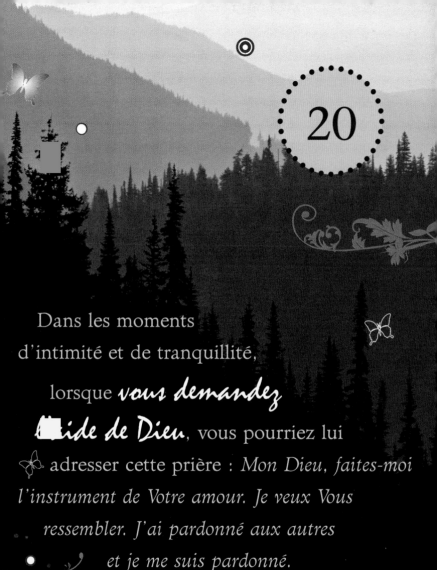

20

Dans les moments
d'intimité et de tranquillité,
lorsque *vous demandez*
l'aide de Dieu, vous pourriez lui
adresser cette prière : *Mon Dieu, faites-moi*
l'instrument de Votre amour. Je veux Vous
ressembler. J'ai pardonné aux autres
et je me suis pardonné.

21

Sachez que pour chaque acte
de méchanceté apparente, il y en a
un million de gentillesse,
et c'est sur ceux-là que vous devez

concentrer votre attention.

22

Lorsque vous avez des pensées qui sont *en-Esprit*, celles-ci reflètent une vibration qui vous oriente dans *la bonne* direction. Mais si vous commencez à observer vos pensées et réalisez que vous allez dans *la mauvaise* direction, *faites demi-tour en créant de nouvelles pensées.*

Portez attention *à ce qui,*
dans la nature, suscite un
sentiment de respect et
d'admiration. Vous n'êtes pas obligé
d'en parler avec quelqu'un. Si cela
a un sens pour
vous, c'est valable.

24

En entrant dans

le monde de l'inspiration,

vous trouverez facile —

et même nécessaire —

de rendre grâce

pour tous les êtres qui sont ou

ont été dans votre vie et de bien

remarquer ce qu'ils

vous ont apporté.

25

La qualité qui ressort chez ceux qui se sentent inspirés est *un désir brûlant et intense*. L'intensité de ce désir doit être si grande que votre amour pour vous-même et ce que vous faites exclut toute possibilité d'ennui, de lassitude ou d'inquiétude.

26

C'est l'Esprit qui donne la vie.

Vous venez de l'Esprit

et êtes à son image.

27

Devenir inspiré

demande que vous soyez curieux

et attentif aux sentiments qui

émergent pour vous aider à vous

reconnecter

à votre moi d'origine.

En faisant
le bilan
de votre vie,
sachez que vous
n'avez échoué en rien,
car vous n'avez fait que produire
certains résultats. Vous pouvez
voir l'ensemble comme les
expériences nécessaires
*pour atteindre un
niveau plus élevé.*

28

29

Lorsque vous êtes inspiré, *vous ne jugez pas les autres ou vous-même.* Vous n'êtes pas incommodé par les attitudes ou comportements, qui dans les moments non inspirés, sont frustrants.

30

L'abandon, les injures
et l'infidélité peuvent
se révéler de bons
enseignants lorsque vous les
vivez en sachant que c'est
pour votre

plus grand bien.

31

Prenez note d'incidents tels que vous cogner le coude ou un orteil. Arrêtez-vous et demandez-vous, *À quoi étais-je en train de penser et en quoi cela est-il lié à ce qui semble être un accident?* Vous **créerez** ainsi **une conscience permanente** de votre Source et de l'orientation de votre vie.

32

Changez vos propres attentes :

Attendez-vous au meilleur,

attendez-vous

à la guidance Divine, attendez-vous

à ce que votre chance tourne, attendez-vous

à un miracle

33

Mener une vie simple
signifie croire que votre
connexion spirituelle s'épanouit
dans une vie consacrée à la joie,
à l'amour et à la paix. Si vos activités
quotidiennes vous accablent
au point de ne pas
pouvoir faire de ces
sentiments vos priorités,
vous négligez la valeur de

mener une vie simple.

34

Si vous êtes dépendant
    d'une substance toxique,
        que vous mangez trop,
        ou même que vous vous laissez
        manger la laine sur le dos, écoutez
    votre petite voix intérieure qui
vous supplie de faire

un premier pas pour
        corriger cela.

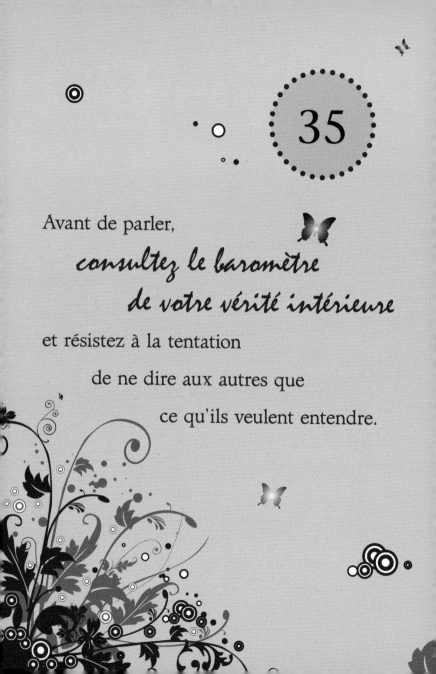

35

Avant de parler,

consultez le baromètre
de votre vérité intérieure

et résistez à la tentation

de ne dire aux autres que

ce qu'ils veulent entendre.

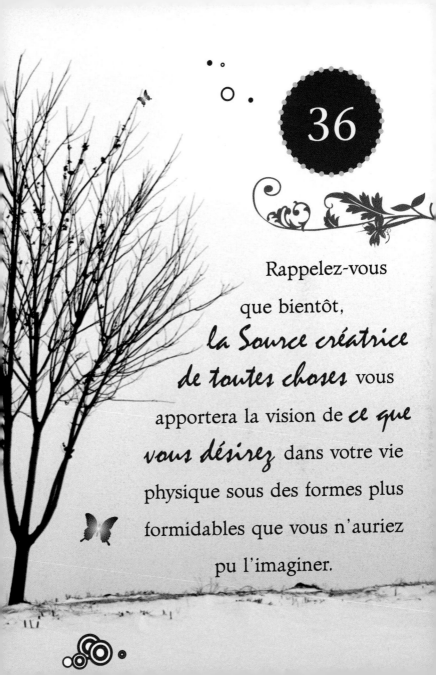

36

Rappelez-vous

que bientôt,

la Source créatrice

de toutes choses vous

apportera la vision de *ce que*

vous désirez dans votre vie

physique sous des formes plus

formidables que vous n'auriez

pu l'imaginer.

37

Ne présumez pas,
parce que Dieu est omniscient, qu'Il
règlera vos problèmes à votre place.
Rappelez-vous que vous êtes un
co-créateur. *Vous êtes une*
part de Dieu.

38

Être inspiré signifie
consentir à

*agir suivant vos
impulsions intérieures,*

de manière à ne jamais faire
la douloureuse expérience de mourir
en vous demandant,

Que se serait-il passé si...?

39

Quand vous êtes *en-Esprit*,

l'ego n'occupe aucune place

et vous n'avez pas l'illusion
du faux moi. Par conséquent,
l'ego n'a aucune influence
sur vous.

40

Comme l'Univers fonctionne suivant la loi de l'attraction,

lorsque vous dites «Donne-moi, donne-moi, donne-moi», il réagit de la même façon. Mais quand vous dites «Comment puis-je partager?», l'Univers répond, «Comment puis-je partager avec toi?»

41

Surveillez toute pensée
susceptible d'étouffer
votre capacité de favoriser
la manifestation. Même
celle qui semble la plus
insignifiante et qui remet en
question votre détermination
à vivre *en-Esprit*,
représente
une vibration
qui vous empêche
de créer vos
désirs.

42

Vous n'avez pas besoin de
grand-chose pour devenir inspiré;
il suffit de détourner votre
attention de ce que vous voyez afin
d'entrer dans le *monde miraculeux
de l'Esprit,* où la joie et la
grâce vous
attendent.

43

Sachez que vos pensées —
qui émergent sous forme d'intérêts,
d'enthousiasme et de sensations
d'éveil — sont des indications que
vous possédez l'aptitude
nécessaire

pour

discerner votre

magnifique créativité.

44

Lorsque vous êtes inspiré,

*vous êtes entièrement
dans l'instant présent.*

Car, dans un Univers qui

n'a jamais commencé et ne

finira jamais,

il n'y a pas de passé.

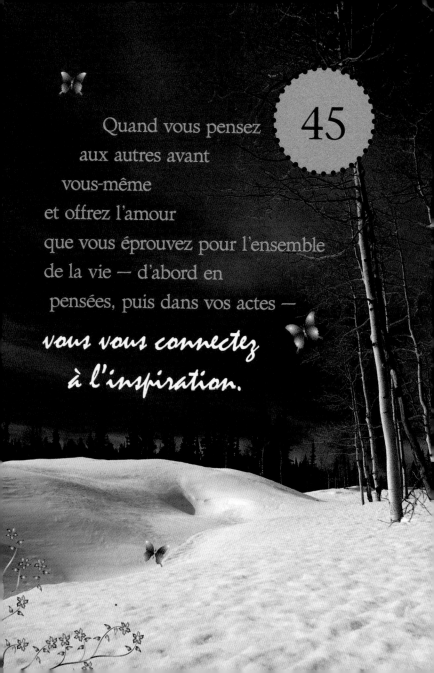

Quand vous pensez
aux autres avant
vous-même
et offrez l'amour
que vous éprouvez pour l'ensemble
de la vie — d'abord en
pensées, puis dans vos actes —

*vous vous connectez
à l'inspiration.*

45

46

Débarrassez-vous de tout
ce qui embourbe votre vie.
Socrate a dit : «Celui qui a besoin
de peu est plus près de Dieu».

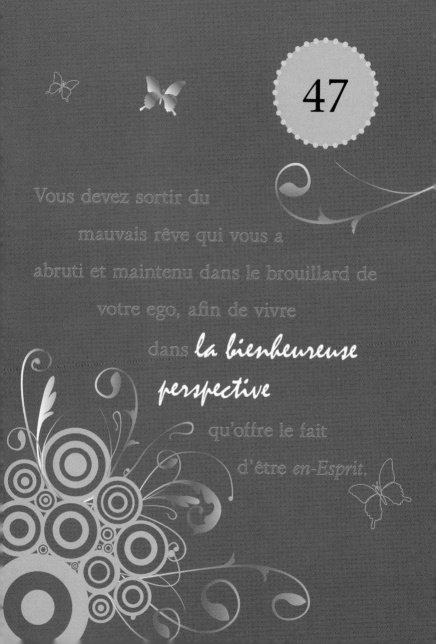

47

Vous devez sortir du

mauvais rêve qui vous a

abruti et maintenu dans le brouillard de

votre ego, afin de vivre

dans **la bienheureuse**

perspective

qu'offre le fait

d'être *en-Esprit.*

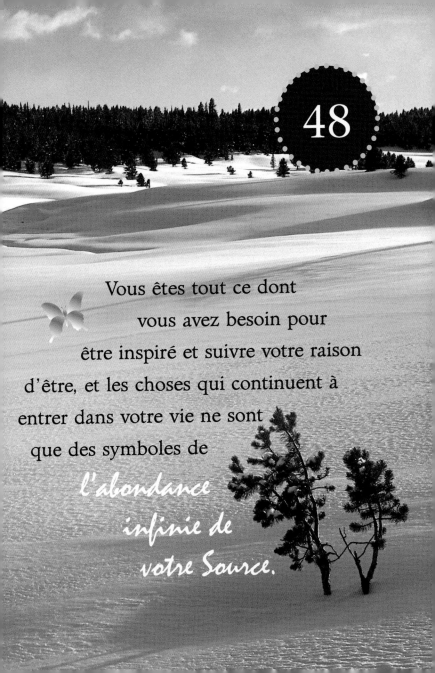

48

Vous êtes tout ce dont
vous avez besoin pour
être inspiré et suivre votre raison
d'être, et les choses qui continuent à
entrer dans votre vie ne sont
que des symboles de
*l'abondance
infinie de
votre Source.*

49

Il est impératif d'éliminer
les perceptions de vous-même qui
pourraient obscurcir votre vision
ou vous inciter à remettre
en question votre
*magnificence
divine.*

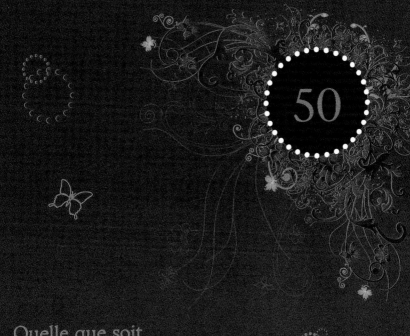

50

Quelle que soit

votre situation actuelle,

 vous avez un

contrat spirituel

qui vous oblige à faire

de la joie votre compagne

de chaque instant.

51

Quand un livre vous tombe
littéralement dans les mains
ou vous est envoyé par
plusieurs personnes différentes —
ou même lorsque son titre revient
constamment sous vos yeux et
que d'autres personnes y font
sans cesse référence —
vous devez vous y arrêter,

*cesser de résister
et consentir
à le lire.*

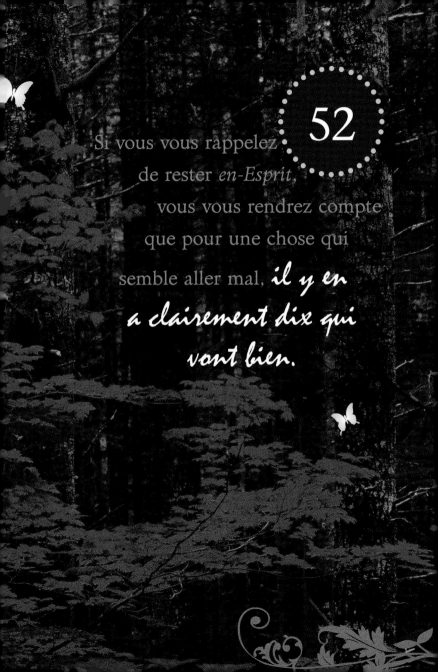

Si vous vous rappelez de rester *en-Esprit*, vous vous rendrez compte que pour une chose qui semble aller mal, *il y en a clairement dix qui vont bien.*

52

53

Décidez de toujours rester inspiré

et de *vivre selon ce que*

votre esprit sait, plutôt que

seulement ce que

vos yeux voient.

54

Si vous ignorez
la puissante attraction de
l'inspiration, il en résultera de
l'inconfort personnel
ou un sentiment de déconnexion
de vous-même.

55

Faites le serment de vivre moins de
conflits. Là d'où vous venez,
il n'y en a pas. Vous pouvez
donc retourner dans ce lieu et

connaître le paradis sur Terre

en refusant de laisser votre
monde intérieur être en
conflit avec qui
que ce soit, en
tout temps.

56

Plutôt que d'espérer,
souhaiter et même prier
pour une issue,
laissez votre monde
intérieur s'aligner sur l'idée que
*ce que vous désirez est
réalisable et en voie
d'être réalisé.*

57

Chaque fois que vous
semblez recevoir un
avertissement inattendu
de l'Univers, efforcez-vous de
remarquer à quoi vous pensiez
précisément au moment de
percevoir le message.

58

Lorsque vous communiquez
avec votre Source de vie,
sachez que vous

éveillez une part

de vous-même

qui est exactement à son image.

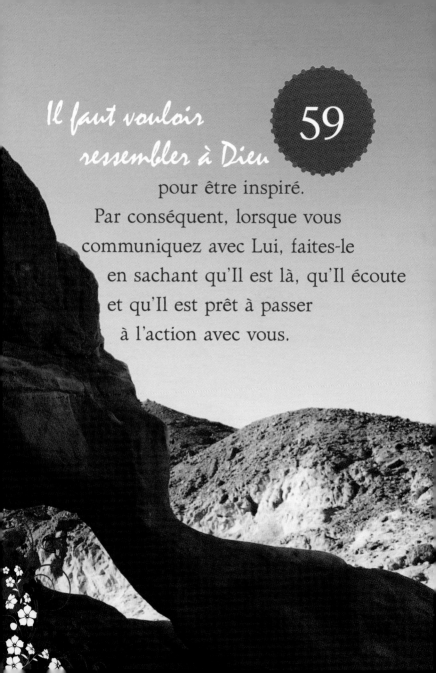

Il faut vouloir ressembler à Dieu

59

pour être inspiré.
Par conséquent, lorsque vous
communiquez avec Lui, faites-le
en sachant qu'Il est là, qu'Il écoute
et qu'Il est prêt à passer
à l'action avec vous.

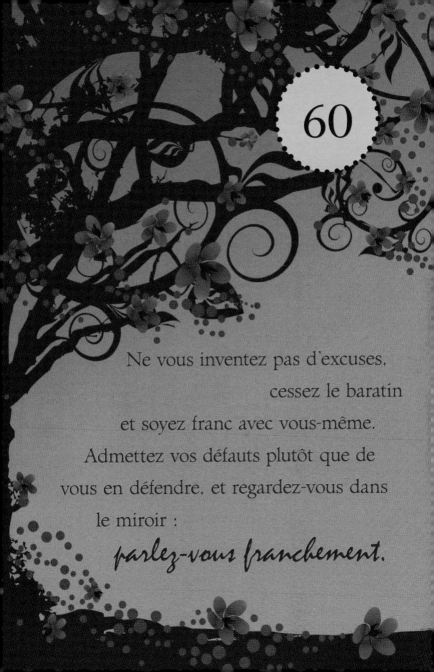

60

Ne vous inventez pas d'excuses,
cessez le baratin
et soyez franc avec vous-même.
Admettez vos défauts plutôt que de
vous en défendre, et regardez-vous dans
le miroir :

parlez-vous franchement.

61

Vos faiblesses,
y compris vos maladies,
viennent parfois du fait que vous retenez
quelque chose — qui pourrait bien être votre

lien sain et conscient

avec l'Esprit.

62

Écrivez ce qui suit,
placez-le dans un endroit bien visible
et répétez-le : *Je vis dans un Univers
divinement inspiré. Je n'ai rien à craindre.
J'ai confiance en moi, et ce faisant,
j'ai confiance en la grande Sagesse qui m'a créé.*

63

Puisque tout ce que vous laissez
entrer dans votre vie représente

 une énergie

qui vous influence à la fois

physiquement et spirituellement,

il est impératif d'élever votre niveau

de conscience ct de

lutter contre les habitudes

qui vous empêchent

d'être *en-Esprit*.

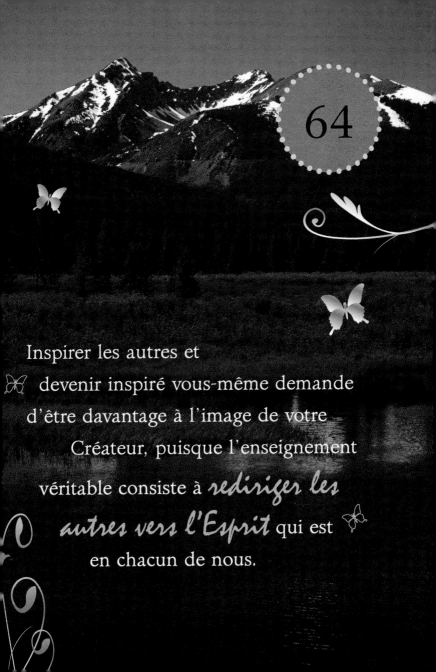

64

Inspirer les autres et
devenir inspiré vous-même demande
d'être davantage à l'image de votre
Créateur, puisque l'enseignement
véritable consiste à *rediriger les
autres vers l'Esprit* qui est
en chacun de nous.

65

Faites la paix avec le silence et
rappelez-vous que c'est dans
cet espace que

*vous vous souviendrez
de votre Esprit.*

66

Dans la prière profonde,
vous ne cherchez pas la résolution d'un
conflit ni des réponses qui tombent du ciel ;
vous voulez seulement vous sentir
comme si vous étiez

en contact

avec quelqu'un qui se soucie
suffisamment de vous
pour vous écouter.

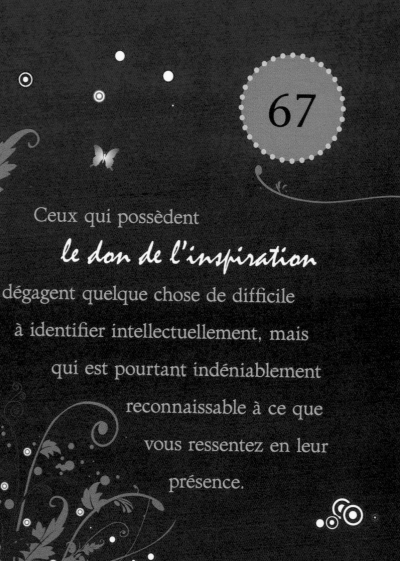

67

Ceux qui possèdent

le don de l'inspiration

dégagent quelque chose de difficile

à identifier intellectuellement, mais

qui est pourtant indéniablement

reconnaissable à ce que

vous ressentez en leur

présence.

Ayez la foi.

Ayez confiance

en un Univers qui crée sans cesse.

Ayez confiance que la Source créatrice de

toutes choses sait

exactement ce

qu'elle fait.

68

69

Le pouvoir d'une idée qui
arrive à terme

*est vraiment le pouvoir
de l'Esprit à l'œuvre.*

70

Vous pouvez vous diriger

vers une vie plus limpide

en examinant et en purifiant

vos liens avec ceux

que vous aimez,

avec vous-même,

et avec Dieu.

71

Pratiquez le pardon
tous les jours.
Les situations les plus difficiles
ou impossibles sont les
plus essentielles!

72

Vos pensées sur qui vous êtes,
ce qui vous enthousiasme,
et ce que vous vous sentez
appelé à être et à faire, sont toutes
divinement inspirées et s'accompagnent
de la guidance et de l'aide dont vous
avez besoin pour les réaliser.

73

Lorsque vous vous branchez sur
ce que vous savez plutôt que
sur ce que vous voyez, vous
découvrez aussitôt que

chaque pensée de Dieu

se répète dans
tout l'Univers.

74

*Lorsque vous écoutez
et consentez, l'Esprit vous guide.* Si vous n'écoutez pas
ou que vous permettez à votre
ego d'entraver votre chemin et
de diriger vos actes, vous n'êtes plus
en-Esprit... et ne vous sentez
habituellement
pas inspiré
non plus.

75

Il est essentiel
d'avoir une vision claire
de vous-même comme méritant
de vous sentir inspiré, sachant qu'il
s'agit de *votre mission suprême,*
et de choisir d'être *en-Esprit*
même lorsque tout
autour de vous vous
suggère le contraire.

76

Vous devez croire
en un Univers créé et
guidé par une Intelligence
supérieure à votre ego, un Univers

*dans lequel il n'y a pas
de hasards.*

Vous avez le libre-arbitre

de choisir d'être
ou de ne pas être
consciemment
connecté
à l'Esprit
Créateur.

78

Lorsque vous ne savez pas quoi faire

pour vous sentir inspiré,

c'est le moment de vous isoler.

Ce peut être dans votre maison,

au bord de la mer, dans une prairie

ou au fond des bois — vous n'avez

besoin que d'un endroit où vous pouvez

vous retrouver seul

avec Dieu.

79

Lorsque vous resurgissez

dans la parfaite

unité de l'Esprit,

vous percevez chaque personne

que vous rencontrez comme

une alliée dans votre mode

de vie inspiré.

Vivez
   les paroles
      du Nouveau Testament

qui vous disent que vous êtes dans ce monde
      mais non pas de ce monde. Vous pouvez
être ici sans être attaché à y être, en faisant
   simplement abstraction de votre identité
      physique.

81

Voyez-vous comme

une simple cellule

dans un corps appelé humanité,

et faites le serment d'en être une qui

collabore avec toutes les autres adjacentes

et qui possède

un sentiment d'appartenance

au tout.

82

Si vous croyez

que votre vie ne peut être rien

de moins que joyeuse,

alors vous pouvez choisir
la voie de l'inspiration.

83

Vous êtes la grandeur personnifiée,

un génie et un maître créateur, peu

importe l'opinion d'autrui.

Faites-vous la promesse en silence

d'encourager et d'exprimer

votre nature divine.

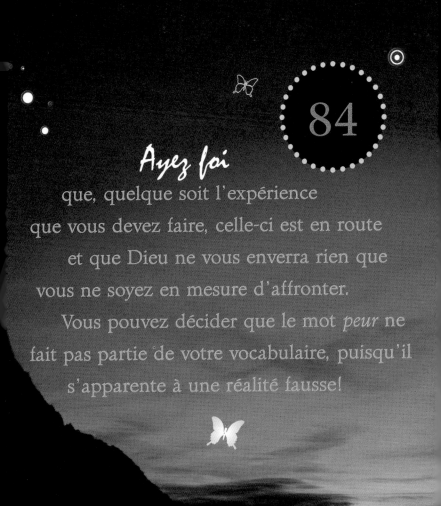

84

Ayez foi

que, quelque soit l'expérience
que vous devez faire, celle-ci est en route
et que Dieu ne vous enverra rien que
vous ne soyez en mesure d'affronter.

Vous pouvez décider que le mot *peur* ne
fait pas partie de votre vocabulaire, puisqu'il
s'apparente à une réalité fausse!

85

Au fur et à mesure que l'inspiration
grandira en vous, vous découvrirez
que vous voulez faire

plus pour les autres

et vous concentrer

moins sur vous même.

86

Vous possédez une tendance
  innée à chercher votre moi inspiré et à
  ressentir l'unité, une sorte de sens
inexplicable qui exige patiemment la
  reconnaissance et l'action. Vous pourriez
  le décrire comme un mécanisme

projetant constamment
les mots :

destinée, mission ou

but sur votre

écran

intérieur.

87

L'inspiration est

la simple reconnaissance

de l'Esprit en vous.

C'est le retour à ce champ invisible

et sans forme duquel

émanent toutes choses.

88

*Pour être
inspiré*

quotidiennement,
vous devez être
capable d'identifier
rapidement
toutes les
pensées qui
vous détournent
de votre Source
afin de vous remettre
sur la
bonne voie.

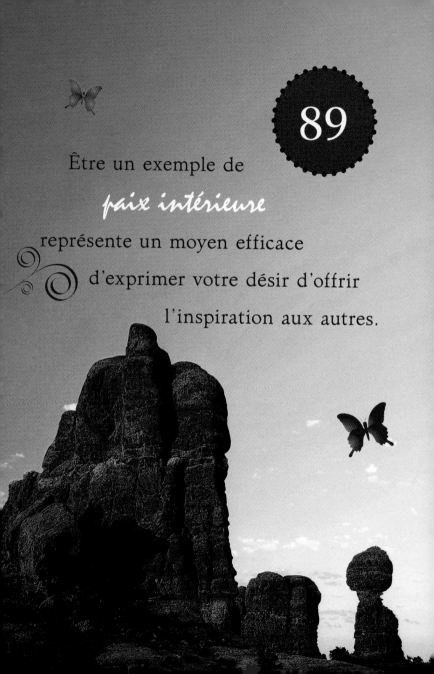

89

Être un exemple de

paix intérieure

représente un moyen efficace

d'exprimer votre désir d'offrir

l'inspiration aux autres.

Votre attitude à l'égard
de votre corps, ainsi que les aliments
et l'exercice que vous lui donnez,
doivent s'harmoniser avec l'Esprit.

Vous êtes issu de l'amour

et devez donc transmettre cet amour
et cette
appréciation à votre
corps, en tout temps,
afin d'être
inspiré de
façon
authentique.

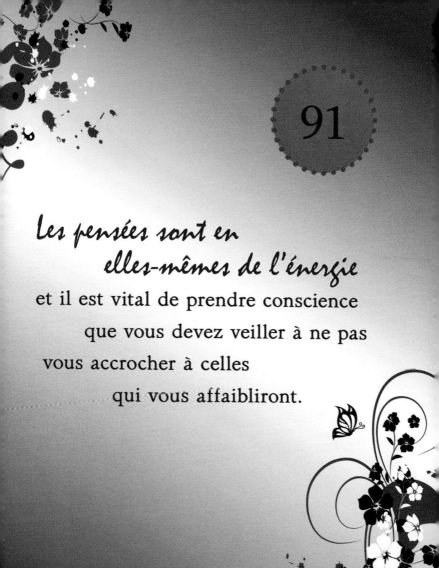

91

Les pensées sont en
      elles-mêmes de l'énergie
et il est vital de prendre conscience
        que vous devez veiller à ne pas
vous accrocher à celles
            qui vous affaibliront.

92

Travaillez à
développer votre
foi tous les
jours en prenant
le temps de vous mettre
sagement

en contact conscient

avec la Source créatrice de votre être.

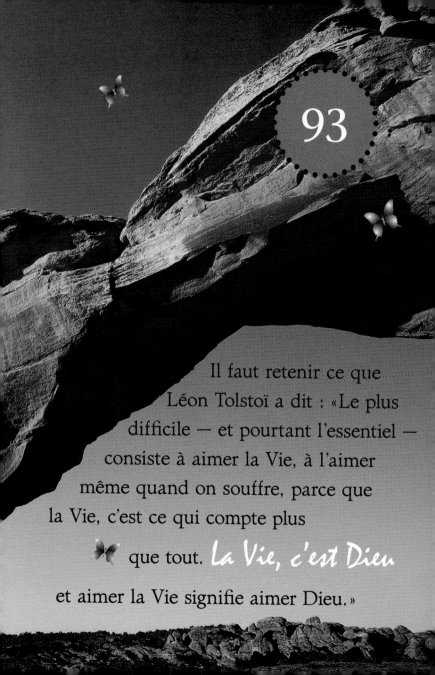

93

Il faut retenir ce que
Léon Tolstoï a dit : «Le plus
difficile — et pourtant l'essentiel —
consiste à aimer la Vie, à l'aimer
même quand on souffre, parce que
la Vie, c'est ce qui compte plus
que tout. *La Vie, c'est Dieu*
et aimer la Vie signifie aimer Dieu.»

Un simple geste gentil ou serviable,

qui est en alignement

avec votre Source,

fera plus pour inspirer les autres que

n'importe quelle conférence

sur les vertus du civisme.

95

La vérité est une nécessité, si vous comptez

vivre en harmonie avec l'Esprit

et devenir une source d'inspiration

pour ceux que vous rencontrez.

96

Lorsque vous faites quelque
chose que vous vous sentez
appelé à faire en étant

en harmonie vibratoire

et en consentant à le partager
avec le plus de gens possible,
vous vous sentez inspiré.

Pourquoi ne pas considérer votre vie entière comme *le déroulement d'un plan* auquel vous avez souscrit avant même d'arriver ici? Ainsi, plutôt que de blâmer les circonstances extérieures, vous deviendrez responsable de votre raison d'être et la ressentirez.

97

98

Si vous prenez le temps de

méditer et de communier

avec l'Esprit,

non seulement vous vous sentirez revitalisé,

mais vous adopterez un système

de défense qui empêchera quoi que ce

soit de vous retirer votre inspiration.

99

*Rappelez-vous que votre corps
est un temple sacré*

dans lequel vous habitez
au cours de cette vie. Ménagez-vous du
temps tous les jours pour faire
de l'exercice.
Même si vous vous limitez
à une simple petite
promenade, faites-le.

Vous pardonner

de tout ce qui vous a fait honte
est très important. Ce qui est arrivé était
nécessaire, alors libérez-vous des regrets,
et remplacez vos sentiments négatifs par de la
gratitude à l'égard de ce que
vous avez appris.

101

L'une des plus magnifiques
        observations de Gandhi est que
« la vie ne consiste pas à en accélérer
    le processus ». C'est là un
formidable conseil pour

vous simplifier la vie.

102

Aussi absurdes que puissent
    sembler vos appels intérieurs,
ils sont authentiquement vôtres.
    Il n'est pas nécessaire que
les autres y trouvent
        un sens.

103

En vous accordant du temps pour
lire, méditer, faire de l'exercice
et marcher dans la nature,

vous invitez la guidance

qui attend patiemment de
vous transmettre des
messages inspirants.

104

Chaque fois que vous
le pouvez, évitez
les bouleversements, les conflits
et l'agitation. Après tout,
vous ne pouvez être

l'être spirituel que vous souhaitez

ni vivre dans la réalisation de Dieu
lorsque vous êtes dans le chahut.

105

Faites tout votre possible pour éviter les dettes. Rappelez-vous que *vous essayez de vous simplifier la vie.* Par conséquent, il n'est pas nécessaire d'acheter des objets qui ne feront qu'ajouter du fouillis dans votre vie. Si vous ne pouvez pas vous offrir quelque chose, n'y pensez plus jusqu'à ce que vous en ayez les moyens.

106

Vous n'êtes jamais tenu
de vous défendre vous-même,
non plus que vos désirs face à
qui que ce soit, car ces sentiments

représentent l'Esprit

qui vous parle.

Ces pensées sont
sacrées : ne laissez
jamais personne
les piétiner.

107

L'énergie de la Source collaborera

avec vous si vous la cherchez

énergétiquement — en outre, vous pouvez

commencer à

réexaminer votre vie

concernant les mauvais alignements

et la malchance que

vous avez imaginée.

Passez en revue
les parents ainsi que
les frères et sœurs
que vous avez choisis,
de même que le
moment de votre naissance.
Trouvez des façons
dont ces acteurs
dans votre vie étaient
alignés avec votre profond
besoin intérieur de
répondre à une mission.

109

Travaillez
chaque jour à
maîtriser les exigences de
votre ego.

110

Tout dans la nature est
en-Esprit. Rien n'est affecté par l'ego
et ne le sera jamais.
Par conséquent,
lorsque la nature vous parle,

vous devez écouter intensément.

111

Lorsque vous êtes

en harmonie

avec l'esprit de Dieu,

vous n'avez tout simplement

pas de pensées qui vous disent

que vous ne pouvez accomplir

quelque chose. Après tout,

vos pensées sont

composées d'une

énergie supérieure.

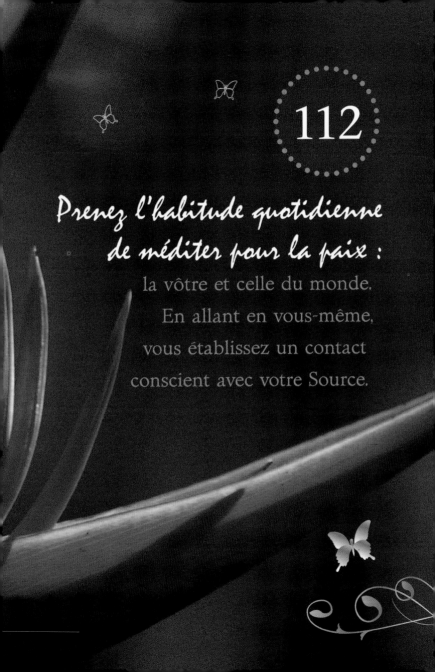

112

Prenez l'habitude quotidienne
de méditer pour la paix :
la vôtre et celle du monde.
En allant en vous-même,
vous établissez un contact
conscient avec votre Source.

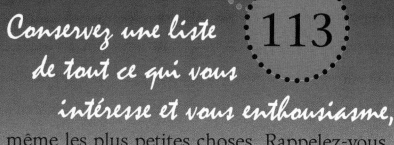

Conservez une liste
de tout ce qui vous
intéresse et vous enthousiasme,
même les plus petites choses. Rappelez-vous
que ce sont les indicateurs ou les indices que
le talent et l'indispensable aide spirituelle
existent pour en faire une réalité.

113

114

Retourner à l'Esprit

fait naître le sentiment

profond d'être syntonisé sur

votre raison d'être divine

et unique.

115

Votre vie doit être ouverte
à la guidance de l'Esprit
pour que vous soyez inspiré.

Par conséquent, vous devez

simplement faire ce qu'il

faut pour ressentir

la joie; quoi que

ce soit.

116

En choisissant de vivre *in-Esprit,*

vous vous confiez

à quelque chose

de plus grand que

votre vie en tant

qu'être

physique.

117

Célébrez chacune de vos
pensées, sachant qu'elles sont toutes
d'origine divine ; prenez conscience de

vos énormes talents,

et ayez le plus grand respect
pour tout ce que vous êtes.

118

Si vous organisez votre vie
autour de l'amour — pour Dieu,
vous-même, la famille, les amis,
l'humanité entière, et pour
l'environnement — vous ferez
disparaître une bonne partie
du chaos et du désordre
qui *caractérise*
votre vie.

119

Lorsque vous vous engagez
dans l'Esprit, vous vous réappropriez
le pouvoir de votre

Source suprême.

D'une certaine façon,
être inspiré permet
à vos pensées de

retirer tous

les empêchements

susceptibles de servir d'excuses pour
ne pas faire ce que vous savez
devoir accomplir ici-bas.

Vous devenez ce à quoi
vous pensez. Si vous pensez

121

à donner, comme Dieu le fait,

l'Univers pourvoira à vos besoins.

Si vous pensez aux choses qui
vous ont été enlevées,
alors c'est ce
que vous
attirerez.

122

Lorsque vous êtes inspiré,
vous vous rappelez que

Dieu est toujours en vous

et que vous êtes toujours en Dieu.

Il est alors impossible que vos

pensées soient

limitées.

123

Rappelez-vous cette vérité :

Si vous restez en harmonie

avec votre Esprit originel,

cette Force invisible

et toute-puissante

travaillera en votre nom.

Si vous ressentez
la paix intérieure,
vous commencez à attirer
toute la paix que vous
désirez. Pourquoi?
Parce que vous
fonctionnez à partir
d'un lieu spirituel
de paix.

125

Quand vous ne vous
sentez pas inspiré, vous
reconnaissez devoir faire

un ajustement vibratoire

afin de remettre vos pensées et
vos comportements en alignement
avec le désir d'être inspiré.

Rappelez-vous :
vous êtes déjà connecté

126

à tout ce que vous croyez
qui vous manque. Il vous suffit de
vous réaligner consciemment
afin que vos pensées commencent à
s'harmoniser avec l'Esprit
sur le plan vibratoire,
car l'Esprit fait
déjà partie de vous.

127

Lorsque vous laissez
les autres vous dicter
ce que vous allez être,
vous perdez de vue

*votre objectif de vivre
une vie inspirée.*

128

Plutôt que de penser à vos buts, prenez l'engagement de vivre joyeusement l'instant présent. Cessez de rêver à l'avenir et revenez à la seule chose que vous ayez : l'instant présent. Décidez de vivre pleinement *dans le présent.*

129

La vérité fondamentale que

vous devez réciter et savoir est :

Je suis une Créature divine.

Chaque créature est unique et parfaite.

Je suis ici pour vivre

à l'image de Dieu.

130

Tout ce qui suscite de

l'enthousiasme en vous

est une preuve d'un

message de l'Esprit

qui dit «Vous pouvez le faire — oui,

vous le pouvez!»

131

Votre présence physique
est composée de la même étoffe
que celle des étoiles.
C'est exact, l'étoffe des rêves,
c'est-à-dire la poussière lumineuse,
étincelante,
magique et merveilleuse !

Lorsque vous vous imprégnez de films,
d'émissions télévisées,
de pièces de théâtre et
d'enregistrements
offerts par des gens ou
organisations qui reflètent
un lien avec l'Esprit,
vous augmentez votre

niveau d'inspiration

quotidienne.

133

Maintenez la conscience
de votre corps béni,
divin et parfait qui est
capable de tout ce que
vous désirez.

134

Lisez les biographies des gens
qui reflètent vos idées sur l'énergie
spirituelle, qu'il s'agisse de
personnages historiques ou
contemporains. En passant simplement
du temps à lire sur leur vie, vous
ressentirez un remarquable sens
de l'inspiration.

135

Méfiez-vous des invitations à occuper
des fonctions susceptibles
de vous garder au sommet
de la pyramide de la société, mais qui
empêcheraient votre accès à une

inspiration empreinte de joie.

Commencez par décliner
les invitations qui
n'activent pas des
sentiments
d'inspiration.

136

En pratiquant
l'habitude de dire
ce que vous pensez
sans être blessant
ni arrogant,

vous vous reconnectez
à l'énergie

que vous dégagiez
au départ.

137

Lorsque la vie tend à devenir
trop complexe, trop rapide, trop encombrée,
trop bousculée
ou trop compétitive
pour vous,

arrêtez-vous un instant
et rappelez-vous
votre propre esprit.

Vous n'êtes pas tenu de **138**

réagir à la critique

autrement qu'en remerciant
poliment et en promettant de
réfléchir à ce qu'on vous a dit ;
toute autre réaction effacerait la
possibilité de vous sentir inspiré.

139

*Plutôt que de vous
sentir déprimé*

après avoir subi les mauvaises nouvelles
transmises par les médias,
souvenez-vous immédiatement
de refuser de vous associer à
une vibration négative.

140

Les prières sans amour,
qui prennent source
dans l'arrogance, la haine ou la peur,
sont le fait de l'ego : elles n'auront donc
pas de réponse. De fait, elles ne seront
même pas entendues.

Le message de Dieu
est d'aimer tout le monde,
sans exception, afin   d'être en
harmonie   vibratoire
avec   Lui.

141

Vous vous simplifierez la vie et vous sentirez inspiré si vous apprenez à prendre la vie en vous amusant plutôt qu'en travaillant.

142

Identifiez certaines
des personnes qui vous inspirent
le plus et dites-leur précisément

pourquoi vous les admirez.
En exprimant votre appréciation,
vous vous sentirez inspiré par ce
simple geste de reconnaissance.

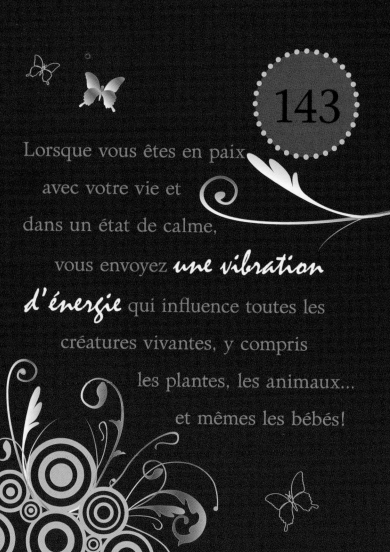

143

Lorsque vous êtes en paix

avec votre vie et

dans un état de calme,

vous envoyez *une vibration*

d'énergie qui influence toutes les

créatures vivantes, y compris

les plantes, les animaux...

et mêmes les bébés!

144

Les réponses pour
résoudre les problèmes de
pauvreté et de misère sont
déjà accessibles, et ces ennuis
pourraient être résolus dès demain
si nous pouvions nous
rappeler que nous ne formons
qu'un sur cette planète :

nous partageons tous
les mêmes origines

et nous retournerons
tous au même non-lieu
d'où nous venons.

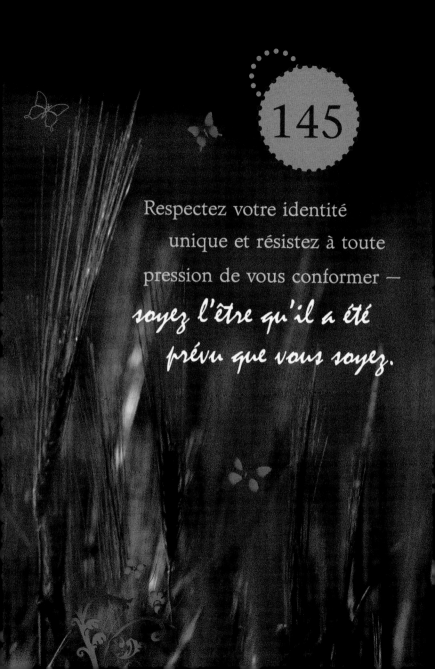

145

Respectez votre identité
unique et résistez à toute
pression de vous conformer —
soyez l'être qu'il a été
prévu que vous soyez.

146

Pratiquez une bonne écoute.

La personne en face de vous

se sentira aimée,

appréciée et estimée.

La *générosité* est manifestement l'un des moyens de ressembler davantage à Dieu. Vous savez que vous êtes inspiré quand les autres vous en donnent la preuve.

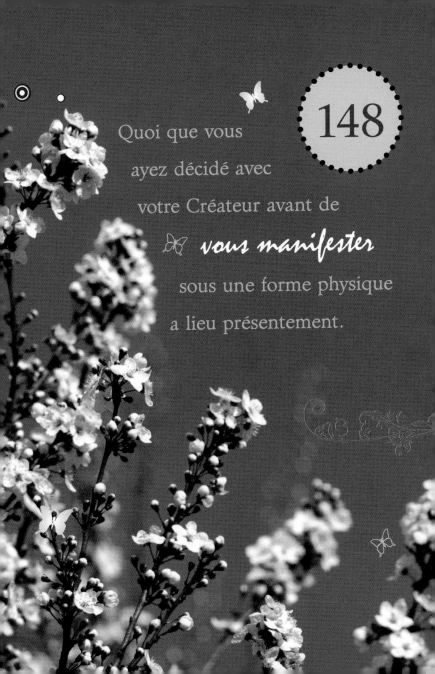

148

Quoi que vous ayez décidé avec votre Créateur avant de *vous manifester* sous une forme physique a lieu présentement.

149

Pratiquez la méditation
quotidiennement afin de
devenir plus paisible,
puis remarquez que ceux qui vous
ont déjà confronté sont moins enclins
à le faire.

150

Lorsque vous bannissez le doute

en faveur de la foi,

il n'y a rien de plus

puissant sur cette planète.

151

Si vous désirez

attirer la richesse et la prospérité,

vous devez entretenir

des pensées positives

correspondant à votre désir,

car c'est ainsi

qu'il se manifestera.

Lorsque vous vous sentez
bien et ressentez Dieu,

152

vous avez l'occasion d'être

une petite force
qui peut transcender

et transformer des énergies
inférieures en énergies
spirituelles.

153

À votre réveil,
décidez de faire quelque chose —
n'importe quoi — qui améliorera
la qualité de vie
de quelqu'un, et cela sans
chercher à en obtenir du crédit.

154

Tout comme la prière
de saint François vous rappelle

que *c'est en donnant qu'on reçoit,*

pour pouvoir recevoir

de l'inspiration,

vous devez consentir

à en donner,

et vice-versa.

155

Rappelez-vous que votre corps/esprit
représente la meilleure pharmacie qui soit.
*Il recèle un potentiel illimité
pour créer du bien-être,*
puisque c'est de là
qu'il provient!

156

Gardez à l'esprit que
vous ne pouvez pas cocréer
avec qui que ce soit, y compris
votre Source spirituelle, à moins
de baigner dans *l'harmonie.*

157

Il n'est pas nécessaire
d'apprendre quoi que ce soit de

nouveau pour *communiquer
et établir un contact*

conscient avec votre Source,

puisque tout est

déjà en vous.

158

Même si vous n'avez
qu'emprunté votre
expérience humaine temporaire,
Dieu ne vous oublie jamais,
car il est la Source qui vous donne,
ainsi qu'à tout ce qui vit et respire,
l'énergie pour maintenir la vie.

La chose la plus efficace **159**
que vous puissiez faire pour

vous rappeler

votre Source

est d'affirmer sans hésitation :

Je suis d'abord et avant tout

un être spirituel éternel. Je ne peux

être rien d'autre que cela

et je peux aller en moi

et essayer de ressembler à

Dieu dans toutes mes

pensées et

mes actions.

160

Vous devez réduire
les distractions lorsque
vous souhaitez
communiquer avec Dieu.
Être dans la nature,
loin des bruits artificiels
qui envahissent l'espace
peut se révéler très utile à cet effet.

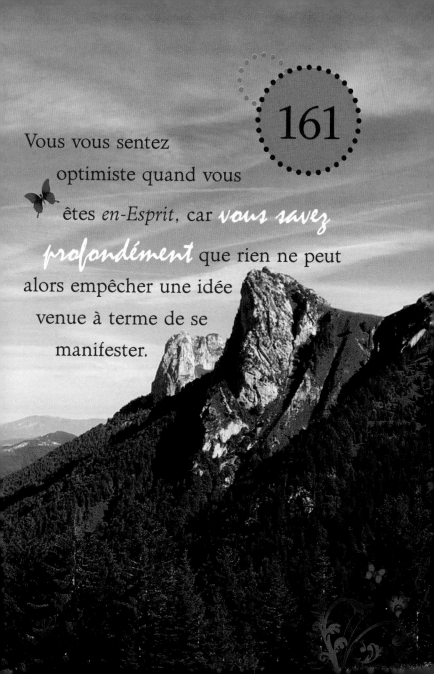

161

Vous vous sentez optimiste quand vous êtes *en-Esprit*, car *vous savez profondément* que rien ne peut alors empêcher une idée venue à terme de se manifester.

Lorsque vous vous sentez inspiré,

*vous remarquez à quel point
vous avez de l'entrain
pour la vie,* de même que

pour tout ce que vous faites, que ce soit

jouer au tennis, aider vos enfants dans leurs

devoirs ou effectuer des tâches

domestiques.

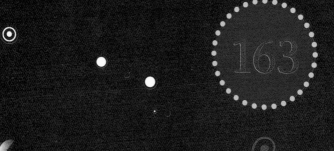

163

Plus vous êtes inspiré,

plus *vous voyez l'Esprit*

dans virtuellement tous

les êtres que vous

rencontrez.

164

Indiquer aux autres que
vous consentez à les écouter
parce que ce qu'ils ont à dire
vous intéresse est une façon de
leur montrer qu'ils
comptent pour vous. C'est
une façon d'être inspiré et d'écouter
comme Dieu.

165

Le langage de l'Esprit proclamera souvent sa
créativité en produisant des séquences
à répétition, de manière à

vous aligner sur votre Source.

Autrement dit, ces incidents ne sont
pas des hasards : vos enseignants ne
font pas que se manifester, ils insistent !

166

Être inspiré

est une expérience de joie :

vous vous sentez entièrement

connecté à votre Source

et parfaitement en accord,

votre créativité abonde et vous

imprégnez votre vie quotidienne

d'une énergie

exceptionnelle.

167

Ma vie est plus grande que moi.

Rappelez-vous cet énoncé.

Imprimez-le et affichez-le chez vous,

dans votre voiture ou

à votre lieu de travail.

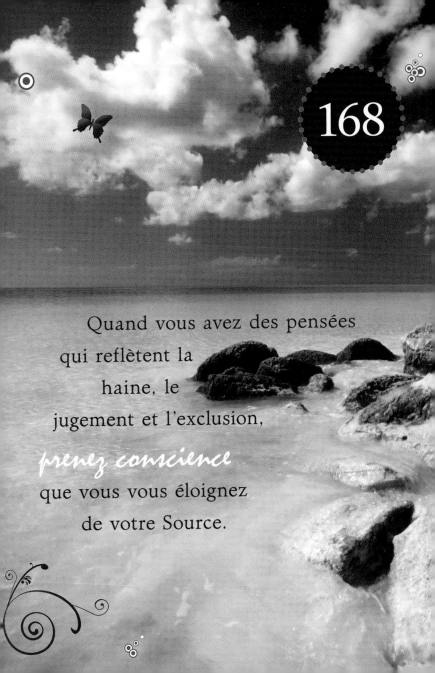

168

Quand vous avez des pensées
qui reflètent la
haine, le
jugement et l'exclusion,

prenez conscience

que vous vous éloignez
de votre Source.

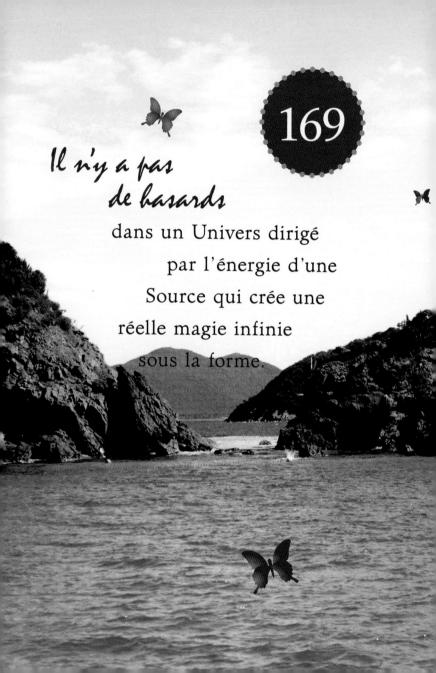

169

Il n'y a pas
de hasards
dans un Univers dirigé
par l'énergie d'une
Source qui crée une
réelle magie infinie
sous la forme.

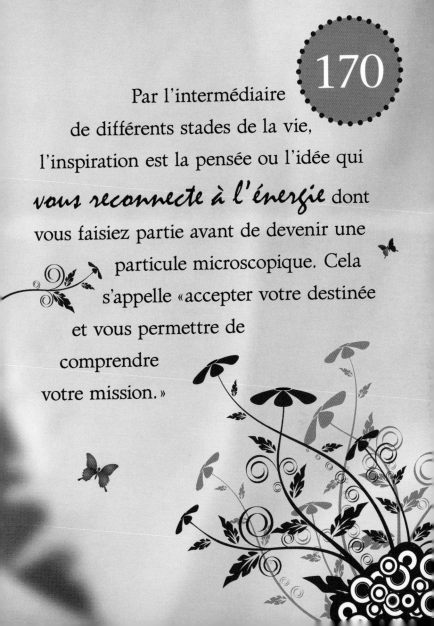

170

Par l'intermédiaire
de différents stades de la vie,
l'inspiration est la pensée ou l'idée qui
vous reconnecte à l'énergie dont
vous faisiez partie avant de devenir une
particule microscopique. Cela
s'appelle «accepter votre destinée
et vous permettre de
comprendre
votre mission.»

171

Lorsque vous réfléchissez
à votre vie ici-bas,
vous ne pouvez éviter de prendre
conscience que *tout ce que vous
expérimentez,* y compris votre corps,
redeviendra poussière afin
d'être recyclé par l'Esprit.

Toute énergie que vous mettez sur
ce qui est ressorti du passé
représente un terrain fertile
pour la culpabilité, *et l'ego adore la
culpabilité.* Ce genre d'énergie
négative fabrique une excuse pour
justifier vos moments difficiles actuels et
vous permet de vous défiler, de vous donner
une raison de rester en dehors de l'Esprit.

173

Même si vous ne savez pas ce que vous devriez faire ou quelle est votre mission, vous devez vous pratiquer à en *créer la vision.*

Quand vous êtes inspiré,
vous attirez l'abondance du
lieu d'où vous provenez.

Et l'esprit *transcende*

alors vraiment

toutes les limites.

175

Pour ressentir
votre raison d'être
et l'inspiration, commencez par
chercher à ressembler à Dieu
dans toutes vos pensées
et tous vos actes.

Même lors de catastrophes
naturelles comme les ouragans,
les tsunamis, les inondations,
les incendies et autres,

176

cherchez à voir le bon côté des choses.
Depuis la perspective de l'infini, la mort n'existe
pas ; par conséquent, si vous retirez de l'équation
l'horreur de mourir, vous aurez
une perspective différente.

Quand vous pensez
à votre Créateur,

vous constatez que Dieu

ne fait que donner

et transmettre

sans rien exiger

en retour.

178

Lorsque vous êtes inspiré,

vous vous reconnectez

à votre Source de vie.

Vous allez au-delà

du monde limité et

entrez dans un espace

d'intuition créative.

179

Tout problème
représente votre inaptitude
à vous connecter consciemment

*à votre Source dans
l'instant présent.*

180

Plus vous apprenez à partager

plutôt que de constamment vous demander «Que vais-je en retirer?», plus vous recevrez en retour, et au moment le plus inattendu.

181

Lorsque l'inspiration
se fait sentir,
vous devez y prêter attention
afin de savoir si votre priorité est
bien d'être ce que vous êtes
destiné à être.

182

N'invitez dans votre cœur que
les énergies *qui s'harmonisent
à votre désir* d'obéir à votre
mission suprême qui consiste
à être inspiré.

Le chemin vers votre

mission suprême

n'est pas un exercice scolaire —
il n'y a pas d'examens écrits,
pas de diplômes à obtenir, pas de
bulletins ni de niveaux
supérieurs.

Lorsque vous vous dirigez
vers un état d'inspiration

en vous sentant connecté

à un but formidable

ou à un projet

extraordinaire,

vous y

consentez.

En vous engageant dans la vérité à 100 pour cent, vous envoyez le signal que vous êtes en accord avec votre Source, et ainsi, vous ferez davantage pour inspirer les autres à vivre et à respirer d'après leur propre vérité que vous le pourriez en lisant des milliers de fois les Dix Commandements ou d'autres documents du même genre.

Chaque fois
que quelqu'un essaie de vous inciter
à vous conformer, affirmez :
*Je suis une expression
individualisée de Dieu.*

*C'est tout ce dont vous
devez vous
rappeler.*

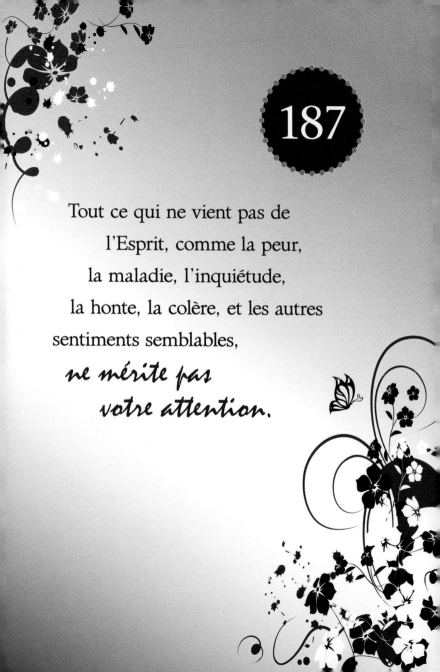

187

Tout ce qui ne vient pas de
l'Esprit, comme la peur,
la maladie, l'inquiétude,
la honte, la colère, et les autres
sentiments semblables,
*ne mérite pas
votre attention.*

188

Inutile de vous concentrer
sur ce qui s'est déjà passé et sur ce
que vous avez traversé ; vous devez plutôt

diriger votre vibration vers le haut

afin qu'elle s'harmonise avec l'Esprit. Ce
n'est qu'alors que des idées ayant une base
spirituelle viendront frapper à votre porte.

189

La foi, c'est la
connaissance profonde que
l'Esprit créateur vous donnera ce dont
vous avez besoin au moment voulu.

190

Bénissez en silence

ceux qui critiquent ou
qui cherchent la confrontation,
et éloignez-vous de leur
énergie le plus vite possible.

Quand vous ne
vous sentez pas bien,
rappelez-vous que le pouvoir qui a,
de fait, fabriqué votre corps sait
également comment le
ramener dans
le bien-être.

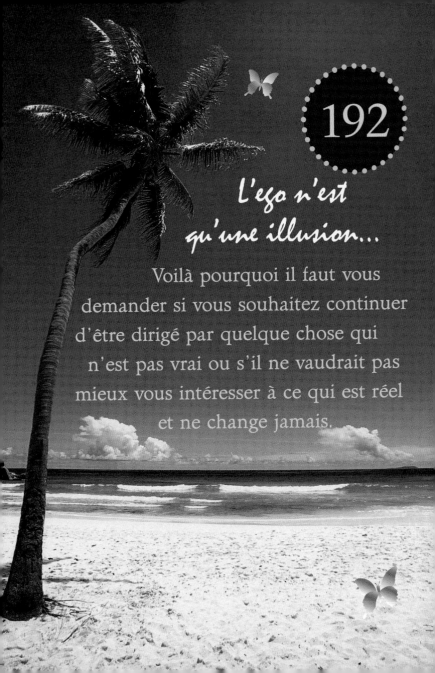

192

L'ego n'est qu'une illusion...

Voilà pourquoi il faut vous demander si vous souhaitez continuer d'être dirigé par quelque chose qui n'est pas vrai ou s'il ne vaudrait pas mieux vous intéresser à ce qui est réel et ne change jamais.

193

Faites *un effort concerté* pour permettre à votre corps de se guérir naturellement et de retrouver la capacité de ressentir le bien-être.

194

La réalité invisible,

d'où provient toute vie physique,

est plus puissante et significative

que les petites parenthèses dans l'éternité,

qu'on appelle «la vie», ou ce qui

 se passe entre la naissance

et la mort.

195

*Faites le serment
qu'au moins une fois par jour,*
vous offrirez quelque chose
de vous-même sans en attendre
de remerciements ou
de la reconnaissance.

196

Penser à vos erreurs passées,

ou à ce que vous avez fait de mal,

ne fait que poser des *obstacles*

à une vie inspirée.

Tout au fond de vous-même se trouve
la conscience de la forme que votre
vie prendrait. Vous pouvez entendre
cette voix, *mais vous devez
d'abord consentir au plan
divin* auquel vous avez souscrit
avant votre conception.

198

Il existe une force dans l'Univers
à laquelle on peut faire entièrement
confiance. Elle crée et se manifeste
à partir de l'amour, de la collaboration,
de la beauté et de l'expansivité,
et c'est à cette œuvre parfaite de
l'Esprit que vous pouvez retourner

afin de connaître
l'inspiration.

199

Rappelez-vous le vieil adage qui dit que «le chêne majestueux a d'abord commencé par une graine». Vous êtes ce *majestueux chêne en devenir* et c'est normal de n'être d'abord qu'une graine, pourvu que vous restiez enraciné!

Chaque être qui
entre ou qui sort de votre
vie fait partie de votre

expérience divine

choisie.

201

Recherchez la présence des

« êtres dont les vibrations sont les plus élevées »

et évitez ceux qui affichent des

comportements axés sur

leur ego.

202

Sachez que

vous êtes connecté

à un courant continu

de bien-être et laissez

cette intuition vous guider

dans toutes vos visions

d'inspiration.

203

Chacun de vos désirs
comporte une
vibration énergétique.
Lorsque vous transformez
ce désir en pensée,
celle-ci s'harmonise habituellement
à la même vibration d'énergie
que votre Source spirituelle.

204

Quand vous êtes

en harmonie avec l'Esprit,

vous ressemblez,

en fait, à Dieu

et il en va de

même de vos désirs.

Les gens qui reçoivent
le plus d'approbation dans
la vie sont ceux que cela
préoccupe le moins. Par conséquent,
techniquement, si vous voulez l'approbation
des autres, vous devez cesser de la rechercher
et concentrer votre attention à devenir

un être inspiré qui partage.

206

Si vous retirez les obstacles
que vous et votre monde toxique
avez dressés, vous permettrez au
véritable pouvoir de guérison
de couler en vous.

207

Votre vie sera

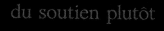
beaucoup plus simple

si vous n'avez rien à prouver à

personne et que vous recevez

du soutien plutôt

que de la critique.

208

Rappelez-vous que vous

êtes issu d'une
Source d'amour pur

et qu'il s'agit simplement

de faire de cet amour

l'un de vos points d'appui dans

votre existence matérielle.

209

Faites l'inventaire des gens
qui ont été des forces négatives
dans votre passé. Regardez en quoi leurs
actes auraient pu être

des bénédictions

déguisées.

210

Affirmez

que tout ce qui vous inspire

de la passion et de l'enthousiasme

se dirige vers vous. Dites-le souvent :

C'est en route, cela arrivera à temps,

et encore plus abondamment que je ne

l'avais imaginé.

211

Accordez-vous la permission

de *vous évader*,

pour camper à la belle étoile ; nager dans
une rivière, un lac, la mer ; vous asseoir auprès
d'un feu de bois ; ou dévaler les pentes
de ski. Où que vous habitiez,
vous n'êtes qu'à quelques heures
(ou même quelques minutes !)
de pouvoir vous connecter
à l'Univers tout entier.

Exercez-vous à rire de l'importance que vous, et tant de gens, accordez aux circonstances quotidiennes. Regardez-les depuis une perspective éternelle et vous découvrirez que vous pouvez en alléger le poids.

Lorsque vous êtes *en-Esprit*, chaque

direction s'avère une possibilité

pour vous à tout moment,

parce que votre

conscience s'élabore
à l'intérieur de votre esprit.

214

*Prenez plus de temps
pour écouter les autres.*

Remarquez votre tendance

à interrompre, et concluez

la conversation en choisissant

d'écouter à la place.

215

Vous êtes dans un
système dirigé par
une Intelligence suprême
et vous en faites partie — c'est-à-dire
que *tout* a une
raison d'être.

Ne faites pas de l'argent

le principe directeur de ce

que vous possédez ou faites :

à la place, simplifiez votre vie

et retournez à l'Esprit

en découvrant la valeur inhérente

de chaque chose.

216

217

Sachez que vous,

de même que vos frères et sœurs,

les autres humains,

représentez Dieu ou l'Esprit

qui se révèle sur notre planète.

218

Pour pouvoir être inspiré,
vous devez conserver votre
individualité propre,

tout en voyant votre
connexion à la Source,

ainsi qu'à chaque être
et à chaque chose
dans l'Univers.

219

Il n'y a absolument rien dans
cet Univers, y compris vous,
qui ne soit parfaitement réglé.
Il n'y a pas de morts
inéquitables ni d'erreurs.
Ce qui se présente vous
appartient, et s'est présenté
exactement à temps.

220

Ayez des échanges
paisibles avec Dieu.
Sachez et ayez confiance
que la guidance spirituelle
est accessible pour permettre
l'alignement de l'énergie.

221

Vous êtes déjà branché sur tout ce dont vous avez besoin

lorsque vous êtes inspiré. Un réalignement se passe alors en vous qui permet à chaque chose, chaque événement et chaque personne de vous rejoindre dans votre conscience *en Esprit*.

222

Essayez de consacrer
un peu de temps tous les jours à
l'état de méditation, où vous
abandonnez toutes les idées relatives
au temps, à l'espace et à la direction
linéaire. Permettez-vous
simplement d'être...

223

Tout ce qui se présente
dans votre vie fait partie
de la perfection du

plan universel.

224

Vous envisagez peut-être de quitter
un emploi, une ville ou même un
partenaire et cela vous paraît terrifiant
présentement. Néanmoins, si les signaux
continuent de se manifester et qu'ils

résonnent en votre for intérieur,

franchissez le pas tout en sachant
que vous êtes guidé

vers une vie inspirée.

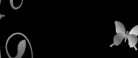

225

Considérez
les pensées et les actes
non inspirés *comme une*

obstruction à votre bien-être
et à celui de *toute* l'humanité.

226

Si vous cherchez

un enseignant,

faites attention de ne pas

confondre ses qualités intellectuelles

avec *l'inspiration.*

Une personne peut posséder

de grandes valeurs intellectuelles

et être quand même détachée

de son esprit.

227

Vous pouvez recommencer
à être en-Esprit

en examinant ce que l'ego a
réalisé dans votre vie, et en faisant
un effort déterminé pour résister
aux pressions puissantes de l'*ego
de votre culture* : vous favoriserez
ainsi une vie inspirée.

228

Au fond de vous,

vous savez que la seule chose

vraiment importante,

c'est d'être en harmonie

avec l'Esprit.

229

Lorsque vous êtes en présence
d'une personne inspirante,
vous savez qu'il se passe quelque chose sur le
plan énergétique. Même si vous ne pouvez pas
le voir, le toucher, le sentir, ou l'entendre,

*vous savez que vous vivez
une transformation*

qui vous rend incroyablement bien

230

Prendre conscience que
*l'ego trahit la grandeur
de votre âme* vous permet
en fin de compte de vous
libérer de ses chaînes.

Vous devez déterminer

dans quelle mesure

vous avez permis à d'autres

de prendre des décisions

à votre place relativement à ce

que vous faites, l'endroit

et les gens avec qui

vous vivez, et même

la façon dont

on vous traite.

232

Servez-vous de
votre propre intuition
pour savoir si vous êtes au
bon endroit avec les bonnes
personnes : si vous vous sentez
bien en la présence de quelqu'un,
c'est-à-dire que vous vous sentez enclin
à *être meilleur et plus joyeux,*
alors vous êtes
au bon endroit.

Faites le tri
parmi les divertissements
de nature violente
et décidez de ne choisir
que les passe-temps dénués de toute
énergie qui ne soit pas en
accord avec votre désir d'être

en-Esprit.

233

234

En choisissant de vous
réaligner et de vous
harmoniser avec l'Esprit,
vous permettez à l'inspiration de

s'épanouir dans le
champ de l'harmonie.

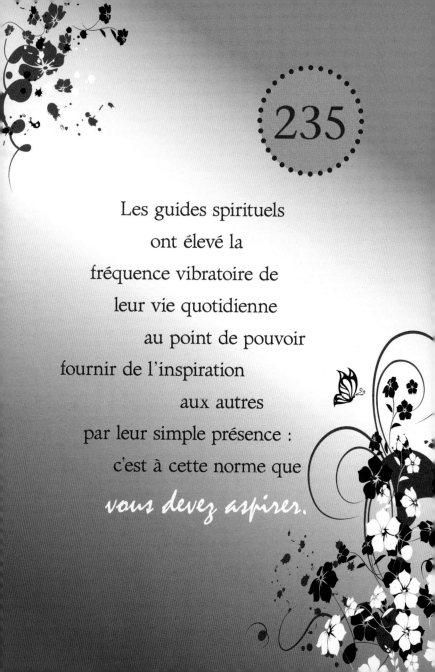

235

Les guides spirituels

ont élevé la

fréquence vibratoire de

leur vie quotidienne

au point de pouvoir

fournir de l'inspiration

aux autres

par leur simple présence :

c'est à cette norme que

vous devez aspirer.

236

La phrase *Je m'attends à des miracles*
est plus qu'un slogan Nouvel Âge,
c'est ce que vous ressentez
lorsque vous vivez chaque jour en-Esprit.
Vous quittez le monde de l'anxiété,
de la peur, du doute et
de l'impossibilité pour

entrer dans un
monde nouveau, merveilleux
où tout est possible.

237

Tout ce dont vous avez besoin ou
que vous voulez dans la vie

commencera à se produire

quand vous serez *en-Esprit*. Les bonnes
personnes se présenteront, les finances
se matérialiseront, votre entourage sera
attiré par votre enthousiasme et votre
engagement, et vous deviendrez une
source d'inspiration pour les autres.

238

Si vous pratiquez la gratitude
plutôt que de continuer
à penser que tout vous est dû,
vous répandrez
automatiquement
l'inspiration partout où
vous irez.

Surmontez votre inertie. Étant

donné que l'inertie, c'est de

ne rien faire, décidez de devenir

un être qui agit :

planifiez de faire de l'exercice,

faites cet appel, ou écrivez

cette lettre que vous avez

sans cesse reportée.

240

Le matin, avant d'être
totalement réveillé,
puis le soir, avant de vous endormir,
prenez une minute ou deux
de temps paisible avec Dieu.
Mettez-vous en état de reconnaissance
et dites tout haut
«Je veux me sentir bien».

241

Observez le
comportement des autres,
même de ceux dont
les actes sont contraires à

un monde inspiré,

puis envoyez-leur
de l'amour.

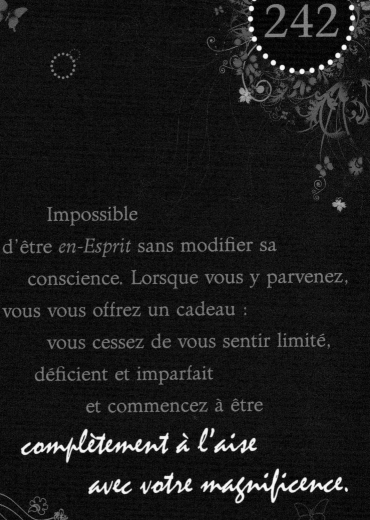

242

Impossible
d'être *en-Esprit* sans modifier sa
conscience. Lorsque vous y parvenez,
vous vous offrez un cadeau :
vous cessez de vous sentir limité,
déficient et imparfait
et commencez à être

complètement à l'aise

avec votre magnificence.

243

Votre raison sait

que vous êtes

dans un Univers

possédant une

Intelligence créatrice

et organisatrice

qui le soutient,

et vous savez que

cela coule en

vous.

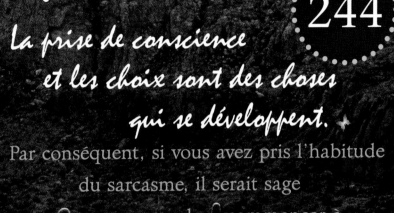

244

La prise de conscience
et les choix sont des choses
qui se développent.

Par conséquent, si vous avez pris l'habitude

du sarcasme, il serait sage

de   commencer à

explorer   d'autres

attitudes.

245

Le fait d'être inspiré

par un grand objectif

vous permet de ressentir

l'essence de l'être spirituel

qui vit une expérience

humaine plutôt que l'inverse.

246

La gratitude et l'humilité

envoient des signaux

à tous ceux que vous rencontrez

et qui vous accueillent,

indiquant que vous êtes connecté

à quelque chose de plus grand

que la vie elle-même.

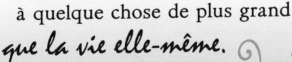

247

La paix ne signifie
pas nécessairement
de vous retrouver dans un lieu
où il n'y a pas de bruit
ni d'agitation.
La paix veut plutôt dire
qu'au milieu du chaos,

*vous pouvez quand
même vous sentir
calme.*

Lorsque vous vivez le plus possible

dans la réalisation de Dieu,

rien ne peut aller mal. Les choses et
les êtres dont vous avez besoin se
manifesteront et vous remarquerez que
vous ne pouvez pas échapper au sentiment
que quelque chose de beaucoup plus
grand que votre propre vie travaille
en vous et autour de vous.

249

Tout message de haine
représente de l'énergie non spirituelle,
et plus vous vous y exposez
consciemment, plus

*vous en attirez
dans votre vie.*

250

Vous pouvez modifier vos vibrations
sous forme de pensées qui soient
davantage en harmonie avec vos désirs.
C'est alors que vous pourrez
commencer à faire les premiers pas
nécessaires
pour percevoir
l'inspiration.

251

En gardant votre vibration
alignée spirituellement,

vous vous extasiez dans le présent.

Tout ce qui a déjà été
une source d'inquiétude
cesse de se manifester,
car votre propre esprit
s'en charge à votre place.

252

Si vous voulez passer

du désenchantement à l'inspiration,

ou de l'apathie et l'indifférence

à la passion et à l'enthousiasme,

vous devez alors

modifier votre

conscience

de vous-même.

253

Lorsque

vous êtes inspiré,

vous êtes connecté

à cette force

qui est plus grande à tous

points de vue que votre

être physique.

254

Il y a beaucoup de gens dans le
monde qui semblent motivés par le mal,
mais vous devez faire attention de
ne pas accorder de pouvoir
à une force qui n'existe pas.
Ce ne sont que des gens qui s'éloignent
de la Source par un comportement
qui entre en contradiction
avec l'énergie
créatrice qui se
trouve en eux.

255

Votre perception
de vous-même
devrait être celle
d'un être spirituel
sans contraintes,
confiant que la

guidance Divine

lui est accessible
à tout moment.

256

N'oubliez pas que l'Esprit

*est fixe, permanent
et infini,*
tandis que l'ego
va et vient, au gré du vent.

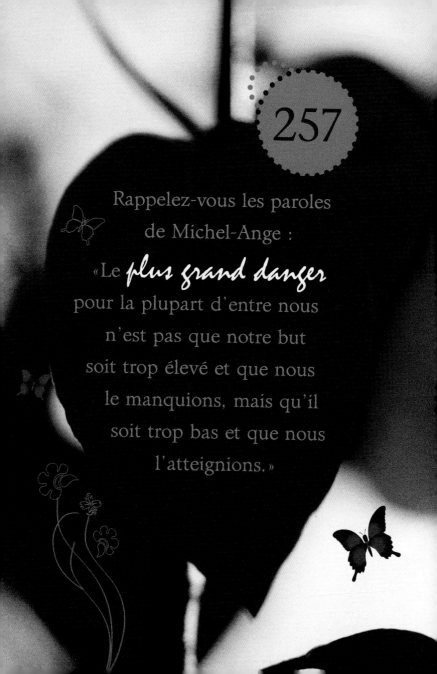

257

Rappelez-vous les paroles
de Michel-Ange :

« Le *plus grand danger*
pour la plupart d'entre nous
n'est pas que notre but
soit trop élevé et que nous
le manquions, mais qu'il
soit trop bas et que nous
l'atteignions. »

258

Développez une confiance
personnelle dans votre
aptitude à activer et à
attirer des forces latentes.
Visualisez-vous aux commandes de ces
forces en apparence inertes afin
qu'elles travaillent avec vous.

259

En ayant une vie inspirée,
vous vous appliquez
à offrir votre vie tout en
observant comment cela vous
revient par la suite, ce qui confirme
l'effet boomerang
de l'Univers.

Chaque jour,

sans exception,

commencez votre journée en

exprimant de la gratitude.

En vous regardant dans le miroir,

dites « Merci mon Dieu, pour ma vie,

mon corps, ma famille et les

êtres que j'aime, pour

cette journée et pour

l'occasion qui m'est

donnée d'être utile.

Merci, merci,

merci! »

261

Vous venez d'un lieu calme et paisible
qui constitue la véritable essence de
la création. Par conséquent, lorsque votre
cerveau est encombré d'un dialogue
bruyant, vous coupez la possibilité de
vous rappeler votre Esprit.

262

Vivez en sachant

que votre être véritable

ne mourra jamais.

Vous ressentirez un grand

réconfort, car vous pourrez

laisser la

tristesse derrière

et être inspiré.

263

Vous pouvez vous lier
à l'omniscience
en pensant comme Dieu,
c'est-à-dire en étant en harmonie
énergétique dans vos pensées et
dans vos actes, en étant
reconnaissant et en offrant
aux autres ce que
vous désirez pour leur
montrer que
vous pensez
à eux.

Le simple fait de douter
de votre aptitude à
vivre une vie inspirée
représente la résistance
que vous devez examiner,
parce qu'elle suppose
des lacunes dans
votre quête spirituelle.

265

Réfléchissez à ceux qui
ont représenté des forces
négatives dans votre passé,
et *cherchez des façons*
dont leurs actes ont pu être
déguisés en obstacles
au bonheur.

266

Au fond de vous-même,

c'est-à-dire là d'où

vous venez et là où vous

retournez, il n'y a personne

et aucune chose à juger.

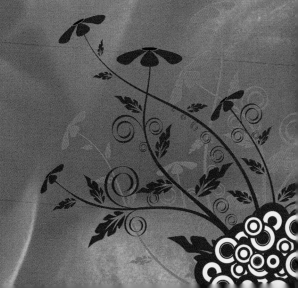

267

Lorsque les autres tentent

de vous attirer

dans des sentiments de culpabilité,

de peur ou de quoi que ce soit

qui ne correspond pas à l'Esprit,

prenez une attitude d'observateur

et répétcz-vous « Cela ne m'appartient pas »,

«Je refuse d'en faire partie», et «Je ne

serai pas désaligné d'avec l'Esprit».

Vous possédez
une voix intérieure
extrêmement puissante, et
*vous devez avoir
confiance en ce qui
vous inspire vraiment.*

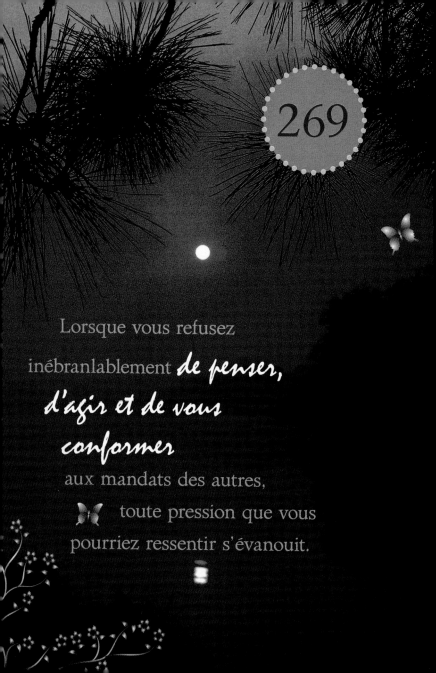

269

Lorsque vous refusez inébranlablement *de penser, d'agir et de vous conformer* aux mandats des autres, toute pression que vous pourriez ressentir s'évanouit.

Quand vous allez à

votre Source,

vous activez l'énergie

qui vous reconnecte à votre

raison d'être — l'inspiration

se manifeste alors juste

sous vos yeux — même lorsque

vous avez cessé

d'y penser.

271

La culpabilité et

les regrets ne sont que des moyens

d'éviter d'être dans

le seul instant que vous ayez,

c'est-à-dire *maintenant*.

272

Vous faites partie
d'un système
intelligent.

**Vous êtes un
être Divin,**

qui est une part
de l'ensemble de
la création.

Votre but dans la vie
n'est pas d'arriver
à une destination où vous
trouverez l'inspiration, pas plus
que l'on danse en vue de poser
les pieds à un endroit précis. Le but
de la danse — et de la vie — consiste à

jouir de chaque instant

et de chaque pas, peu importe
où vous vous trouverez quand
la musique s'arrêtera.

274

La véritable noblesse

ne consiste pas

à être meilleur

qu'un autre.

C'est plutôt d'arriver

à être meilleur

que vous étiez.

275

Il n'y a pas de conflits.
Tout est comme il se doit.
Ce que vous souhaitez améliorer
ne se réalisera pas en luttant,
mais en mettant toute
votre attention
à rester connecté
à l'Esprit.

276

Les lois du monde
matériel ne s'appliquent
vraiment pas
en présence
de la réalisation
de Dieu,
et vous avez
le choix de

vivre à ce niveau d'inspiration.

277

En décidant de vivre une vie inspirée,

vous choisissez d'être en

équilibre avec une

Force créatrice

qui répond à vos pensées *en-Esprit*.

278

Chaque fois que vous
　　êtes tenté de changer
　　　des gens ou des situations
dans votre monde,
　　essayez de vous ressaisir
　　　　et de retourner à un état
　　d'esprit qui vous demande

d'être davantage
comme Dieu, ici et
maintenant.

279

Rappelez-vous toujours

que lorsque l'élève est prêt,

le professeur se présente.

Soyez donc toujours prêt

et les guides

et les enseignements

se manifesteront.

280

Lorsqu'une organisation
en inclut certains pour en
exclure d'autres, cela signifie
qu'il ne prêche ni n'enseigne
la vérité. *Comme Dieu n'exclut
personne,* toute organisation
religieuse qui le fait n'a rien à
voir avec Lui.

281

Quand vous
commencez à
remettre en question
l'omniscience de Dieu,
*bannissez ce doute
de votre esprit.*

282

Vous devez réfléchir
à la façon de retourner
d'où vous venez
si vous voulez communier
avec votre Créateur spirituel.
Par conséquent, être inspiré
impliquera de retourner
en arrière et de

vous souvenir de
choses importantes.

La façon de vous **283**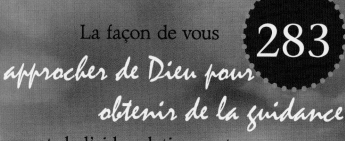
approcher de Dieu pour
obtenir de la guidance

et de l'aide relativement

à quoi que ce soit

dans votre vie

consiste à le faire

depuis une attitude de pardon,

à l'égard de vous-même

et des autres.

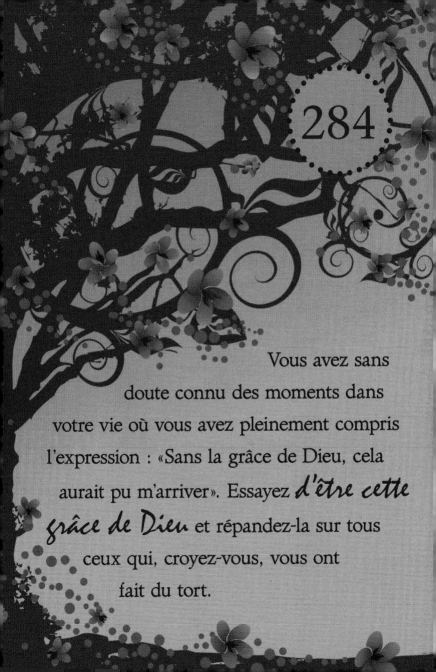

284

Vous avez sans doute connu des moments dans votre vie où vous avez pleinement compris l'expression : «Sans la grâce de Dieu, cela aurait pu m'arriver». Essayez *d'être cette grâce de Dieu* et répandez-la sur tous ceux qui, croyez-vous, vous ont fait du tort.

285

Si vous souhaitez avoir un

dialogue avec Dieu,

allez vers votre Source d'amour,

ou alors vous perdez votre

temps. Dieu ne peut pas

répondre à des demandes

dénuées d'amour et ne le

fera pas.

Votre relation avec Dieu,

votre Associé principal

qui sait tout et qui

ne vous oublie jamais,

ressemble à celle que

vous aviez avec vos parents.

Tout comme vous l'avez fait

avec votre mère et votre père,

vous choisissez maintenant

d'avoir confiance

en la sagesse de

votre

Créateur.

286

287

Ne renoncez jamais
à vous-même
ou n'ayez jamais honte
de ne pas avoir réalisé votre objectif
de devenir un être d'inspiration.
Chaque chute que vous faites
est un cadeau, et chaque
fois que vous
rechutez est une
merveilleuse
opportunité.

288

Si votre désir est d'être
inspiré et de ressentir la joie,
mais que c'est le contraire
qui se manifeste
constamment, plutôt que de
maudire le sort,

songez que vous êtes
peut-être à côté de votre
alignement vibratoire créatif.

289

Vous devez être
dans un espace où
vous aimez chacun.
Mieux encore, vous devez
vous percevoir comme
connecté à
chacun pour
pouvoir
obtenir l'attention
de votre Source.

290

En définitive,

fixez-vous comme objectif de

tuer votre ego

ouvertement tandis

que vous êtes

dans votre enveloppe

physique.

291

Lorsque vous êtes *en-Esprit*,

*vous ressentez
de la satisfaction*

et même plus encore :

vous vivez

dans la joie.

292

Seul l'instant présent existe. Et après celui-ci, il y en aura un autre et ainsi de suite, à l'infini. Si « l'instant futur » tient la place de votre « instant présent », vous êtes sur la bonne voie vers l'absence d'inspiration.

293

Ce qui semble venir de rien

quand vous consentez à être

transporté par une force

plus puissante que votre ego

et toutes les illusions qui l'accompagnent,

c'est l'inspiration.

294

Ayez confiance en l'Intelligence
qui fait battre votre cœur 50 ou 60 fois
à la minute et qui en même temps
fait tourner la Terre toutes les
24 heures, garde les planètes alignées
et crée chaque
milliseconde.

295

Vous devez
avoir confiance
que l'inspiration
est déjà présente
dans votre vie. Celle-ci ne vous
échappe que parce que vous vous êtes
d'une certaine façon déconnecté
de l'Esprit qui était,
et sera toujours,

votre essence.

Vous croyez peut-être **296**
que l'inspiration est quelque
chose qui arrive de manière
mystérieuse et sur laquelle
vous n'exercez aucun contrôle,
mais il vaut nettement mieux ne

compter que sur vos décisions

pour que vos actes
intensifient votre
conscience de l'Esprit.

297

Subir les conséquences
de vivre selon les vœux
de quelqu'un d'autre
n'a aucun sens ;
vous devez plutôt
*résister aux
opinions extérieures*
qui tentent de vous forcer
à être ce que
vous n'êtes pas
destiné à être.

298

Être inspiré consiste
véritablement à être

à l'image de

votre Source.

Si vous ne l'êtes pas, alors
votre Source attend
poliment que
vous fassiez
quelque chose
d'aussi simple
que de *changer*
votre état
d'esprit.

299

Qu'est-ce qui vous empêche
de vous voir comme renfermant
« l'essence de Dieu »
et de savoir
que vous êtes
« de noble origine » ?
C'est l'ego.
Un point de vue
qui écarte l'ego doit
être fermement
mis en place pour
vivre une vie inspirée
et passionnée.

300

Comme le grand sage indien
Ramana Maharshi l'a déjà fait remarquer,
«Il n'y a pas d'objectif à atteindre.
Il n'y a rien à atteindre.
Vous êtes le Soi.
Vous existez toujours.»
Voilà la véritable inspiration.

301

Cet Univers a clairement une raison d'être, avec une Intelligence qui soutient sa création et sa constante évolution. *Vous êtes une parcelle de cette Intelligence,* du fait même que vous en êtes issu.

Le désir de

trouver votre chemin

vers l'inspiration

suppose d'entretenir

à chaque instant

de votre vie

une vision de vous-même

comme étant

en-Esprit.

L'Esprit ne s'attarde **303**
pas sur ce qui est perçu
comme impossible — c'est-à-dire
qu'il ne se concentre pas sur l'incapacité
de créer, ni sur ce qui ne fonctionne pas,
ni sur des scénarios de catastrophes,
non plus que sur
le fait de se
sentir bloqué.

304

Répandez de l'amour.

Vous pourriez, par exemple,
bénir en silence quelqu'un
que vous aviez jugé
auparavant, en accueillir un
autre tendrement, faire une
remarque gentille, ou avoir
une pensée souhaitant le plus
grand bien à toutes
les personnes
concernées.

305

Des incidents étranges
et des évènements apparemment inexplicables
sont peut-être la manifestation de votre
Source toute-créatrice en alignant les
«coïncidences» afin de vous
montrer la voie à suivre.

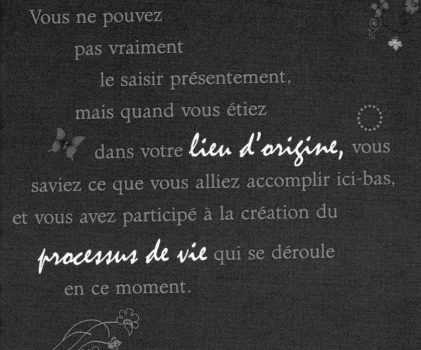

306

Vous ne pouvez
   pas vraiment
      le saisir présentement,
   mais quand vous étiez
      dans votre *lieu d'origine,* vous
saviez ce que vous alliez accomplir ici-bas,
et vous avez participé à la création du

processus de vie qui se déroule
      en ce moment.

307

Vivre *en-Esprit* signifie

que vous voyez votre corps

avec toutes ses caractéristiques uniques

et vous sentez reconnaissant

pour ce temple parfait qui abrite

temporairement votre véritable

« existence première ».

L'essence de la Source est de donner et de partager. **308** Par conséquent, pour pouvoir connaître votre raison d'être et

tenir compte de votre mission suprême qu'est l'inspiration,

vous devez également devenir quelqu'un qui partage davantage qu'il ne reçoit.

309

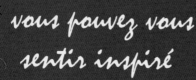

Lorsque vous êtes *en-Esprit*,

vous pouvez vous

sentir inspiré

en faisant virtuellement

n'importe quoi.

310

Au cours des mois
où vous étiez dans
le sein de votre mère,
on peut affirmer que
vous étiez *en-Esprit* —
vous permettiez à l'Esprit
de s'aligner parfaitement,
sans le moindre
effort de votre part.

311

Tout au long de votre vie,

vous poursuivez

votre développement

en dehors du sein

de votre mère, où vous comptez

sur l'énergie de la création

pour alimenter la

lumière de

l'inspiration en vous.

312

Ayez comme
objectif premier de rester

dans cette conscience

et jouissez de chaque instant

en mettant en pratique ce à

quoi vous avez consenti

quand vous étiez *en-Esprit*

avant de devenir

la particule

qui a entrepris ce

glorieux

voyage.

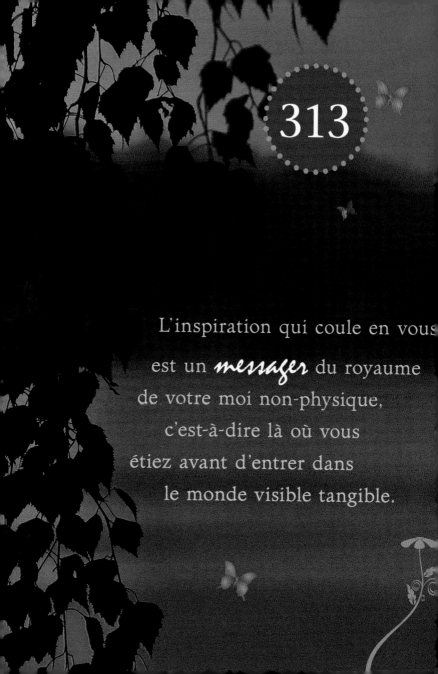

313

L'inspiration qui coule en vous
est un *messager* du royaume
de votre moi non-physique,
c'est-à-dire là où vous
étiez avant d'entrer dans
le monde visible tangible.

314

Vous pouvez observer
les choses qui entrent
dans votre vie et d'autres
qui en sortent, tout en

 restant en-Esprit,

sachant que toutes
ces choses n'ont rien à
voir avec votre état
inspiré.

315

Tandis que vous pénétrez
plus profondément dans l'Esprit,
vous cessez d'être guidé
par les exigences de votre ego
ou de celui des autres.
Vous consentez à la Force
toujours présente
qui vous presse
d'être dans

*un état bienheureux
d'inspiration.*

316

Pratiquez le partage
de façon anonyme.
*Le but est de ne faire
qu'un avec le Créateur,*
qui n'attend pas de crédit
ni de récompense, ni même
de remerciements.

317

Chaque fois que vous constatez
« vouloir davantage »,
la solution consiste à faire plus
pour la société, pour l'humanité
ou pour l'environnement.
Tout geste de partage en réponse
à ce que vous voulez
mène à l'inspiration.

Votre travail consiste

à comprendre et à accepter

que toutes les choses

qui se manifestent

dans votre vie

et que vous trouvez contradictoires

ou embêtantes sont là

parce que vous les avez attirées...

et vous devez affronter

ces obstacles pour

permettre à votre

véritable raison

d'être d'émerger.

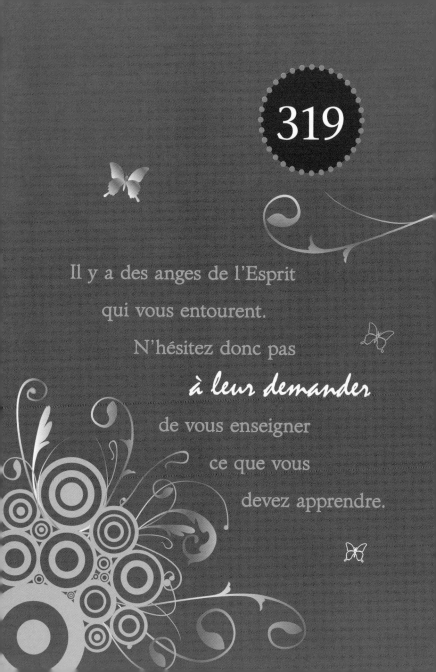

319

Il y a des anges de l'Esprit
qui vous entourent.
N'hésitez donc pas
à leur demander
de vous enseigner
ce que vous
devez apprendre.

320

Vos aptitudes sont

aussi illimitées

que celles

de Dieu

parce que

vous êtes

une part

distincte de

Son

essence.

321

Converser avec Dieu

ne fera que confirmer les réponses

que vous avez déjà en vous,

afin que vous puissiez

vous éveiller à la réalisation

de ce que vous êtes censé faire

dans une situation donnée.

322

N'oubliez pas
que vous êtes issu de l'une des

glorieuses pensées de Dieu

et donc d'un champ d'énergie
qui ne connaît que la
possibilité de tout, alors restez en
harmonie vibratoire avec cette idée.

323

N'utilisez pas la colère

ni l'agressivité

comme moyen de rester indépendant

de l'opinion des autres.

Vous êtes une énergie de l'Esprit

issue d'un champ d'amour,

et vous devez être cet amour

pour être *en-Esprit*.

324

Vous êtes dans un

corps parfait

pour votre temps ici-bas

dans cette incarnation,

et c'est un miracle vivant

et palpitant

dans tous les sens.

325

« Sois ici maintenant »

est plus qu'un important livre de Ram Dass :

c'est l'essence de l'inspiration.

Vivre dans l'instant présent

est le moyen de se débarrasser

de l'anxiété, du stress et

même de certaines maladies.

326

Accordez-vous du temps et un espace paisible pour entrer en dialogue avec votre Source. Les réponses que vous cherchez se déverseront sur vous lorsque vous serez *en communication authentique.*

327

Le fait même
d'être intéressé
et enthousiaste à l'idée
de faire quelque chose
vous indique à l'évidence
que l'inspiration
se trouve sous vos yeux,
vous suppliant
d'y prêter attention.

328

Lorsque vous rencontrez
un obstacle, *entrez en vous-même*
et sachez qu'au cœur même,
au-delà de tous les facteurs
physiques et mentaux, réside l'Esprit
qui est toujours
connecté à Dieu.

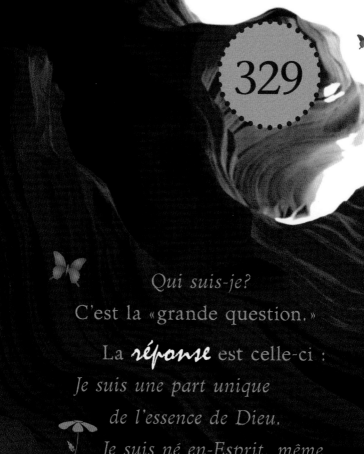

329

Qui suis-je?
C'est la «grande question.»

La *réponse* est celle-ci :
Je suis une part unique
de l'essence de Dieu.
Je suis né <u>en-Esprit</u>, même
si j'ai oublié cette
vérité fondamentale.

Vous devez encourager

la conscience

de votre magnificence

à tous points de vue.

Lorsque cette conscience

est réveillée de nouveau,

les graines de l'inspiration

se mettront

à fleurir.

331

Lorsque vous êtes guidé

par votre « Principal partenaire »,

il en résulte que chaque situation

se règle d'elle-même,

surtout parce que

vous voyez le résultat
final dans votre esprit,

et que vous vous servez

de vos instants présents en

harmonie avec cette vision.

En faisant
confiance à votre vision
intérieure, vous faites
confiance à la même Sagesse
qui vous a créé.

332

333

Lorsque vous êtes *en-Esprit*, vous êtes dans le lieu où *vous vous connectez à la réalité invisible* qui vous conduit ultimement vers votre mission.

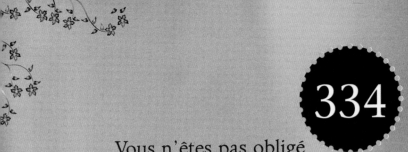

334

Vous n'êtes pas obligé
de donner à Dieu,
de lui rendre hommage
ou de faire quelque chose pour Lui.
Ce sont *vos* exigences qui vous
empêchent de vous sentir inspiré.
Voilà pourquoi vous devez vous en
libérer et élargir votre être

dans une

attitude

de partage.

335

Rappelez-vous

cette simple vérité :

la réponse à *comment* est *oui.*

Il se peut que vous ne sachiez jamais

exactement comment vous allez

réaliser *le sentiment de l'inspiration,*

mais en disant *oui* à la vie et à

tout ce qui vous appelle, le

comment se révélera

tout seul.

336

Dès l'instant
où vous vous
surprenez à exclure
quelqu'un ou à porter un
jugement, répétez-vous
les mots *en-Esprit*.
Puis, faites un effort en
silence *pour inverser
votre pensée* afin
qu'elle s'harmonise avec
l'énergie de la Source.

337

Soyez tendre et compatissant
pour vous-même,
abandonnez tout sentiment de honte
et refusez de vous engager
dans la condamnation de vous-même.

338

Dans un Univers infini,

il n'y a aucune restriction de temps

et il vous est accordé

autant de vies que nécessaire.

339

Chaque fois que vous
vous sentez trop ordinaire,
stoppez immédiatement
cette pensée et faites
une affirmation du genre :
*Je suis un être divin, une part distincte
de l'essence de Dieu.*

Ce rappel silencieux
nourrira davantage votre
inspiration qu'un millier
de livres ou une centaine
de séminaires ne
pourraient le faire.

340

L'inspiration peut être
cultivée et se transformer en

enthousiasme moteur

tout au long de la vie,
plutôt que de ne se
manifester qu'à l'occasion
et de disparaître tout
aussi mystérieusement,
comme si elle était
indépendante
de votre désir.

341

Afin de réaliser
la réunification avec
votre mission suprême,
vous devez stimuler
le monde pur et non
complexe de l'Esprit.

342

Rappelez-vous constamment
la vérité physique et métaphysique
suivant laquelle rien, nulle part,
dans cet Univers n'est
dénué d'Esprit.

343

Sachez que vous pouvez
vous simplifier la vie en réduisant
les occupations qui vous éloignent
de votre raison d'être.
Vous devez restreindre ce genre
d'activités et *écouter l'Esprit*,
en restant conscient que
la joie existe et qu'il est
facile d'y accéder.

Tout est parfaitement
prévu dans l'Univers,
et votre arrivée sur Terre

344

fait partie de cette synchronicité.
Autrement dit,
vous étiez une idée de Dieu
qui est arrivée
à point.

345

Il est important

d'harmoniser vos désirs

à vos attentes.

Vous devez voir arriver

tout ce que vous voulez...

et savoir que ce qui

doit se produire

se produira.

346

Vous obtenez
ce à quoi vous pensez,
que vous le vouliez ou non!
Vous devez donc
surveiller vos pensées.

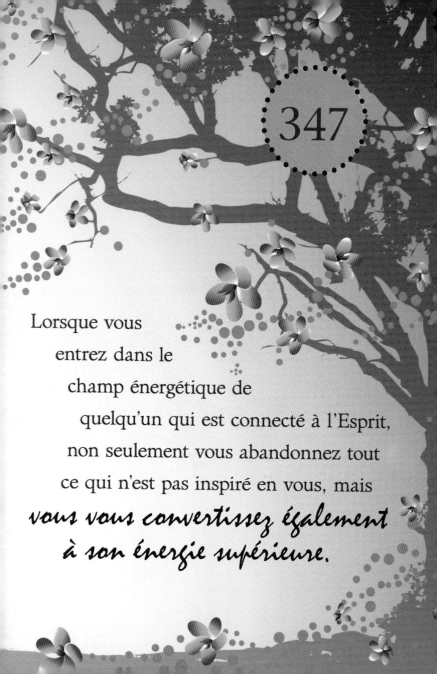

347

Lorsque vous entrez dans le champ énergétique de quelqu'un qui est connecté à l'Esprit, non seulement vous abandonnez tout ce qui n'est pas inspiré en vous, mais *vous vous convertissez également à son énergie supérieure.*

348

Lorsque vous décidez

de devenir un être de partage et que

vous vous efforcez de garder vos pensées

harmonisées avec

l'énergie de l'Esprit

sur une base quotidienne,

non seulement votre raison

d'être vous trouvera, mais elle vous

pas partout

où vous irez.

349

Les gens inspirants
ne sont pas intéressés à gagner un
concours de popularité, surtout quand
ceux qui recherchent les éloges et la
reconnaissance le font
souvent pour apaiser leur
sentiment d'insécurité.

350

Lorsque vous restez
*en alignement vibratoire
avec l'Esprit,*
vous vous sentez moins concerné par
les objectifs, les résultats, les gains
et l'accumulation ; vous êtes davantage
engagé dans le plaisir que vous
procure le quotidien.

351

L'énergie de vos pensées détermine
si vous vivez à un niveau inspiré,
de telle sorte que vous n'ayez aucun
doute sur votre capacité à manifester
votre désir ni à recevoir de la guidance
spirituelle, puisque vous êtes alors
en accord vibratoire avec
ce désir.

352

Faites confiance à
votre propre intuition.

Il n'est pas nécessaire que qui que
ce soit vous approuve ou même vous
comprenne. Rappelez-vous que votre but
est de vous sentir bien.

353

Vous avez toujours

le pouvoir en vous

de passer en

« mode paisible ».

354

Remarquez que tout
ce qui vous empêche
d'apprécier votre Source spirituelle
est un obstacle. Et ceci inclut le fait
de compter sur quelqu'un d'autre
ou sur un organisme sans avoir
d'abord examiné les vérités auxquelles
ils vous invitent à adhérer.

Lorsque vous êtes
sur le point d'entrer
en communication
avec votre Créateur,
il est crucial de l'aborder
en comprenant que vous n'êtes pas
l'auteur de l'action. Autrement dit,

vous n'êtes pas obligé de dire
à votre Source ce qui doit
être fait pour que vous
puissiez avoir une vie
heureuse et remplie.

355

356

Si vous adoptez

le mantra suivant :

J'ai l'intention de me sentir bien,

vous pouvez vous visualiser

ressentant de

la joie, peu

importe ce qui

se passe autour de vous.

357

En plus de prier et de communier
avec votre Source, le cœur en paix,

vous devez « être tranquille ».
Cela signifie prendre le temps de retrouver
le calme avant de méditer, et aussi
de contrôler votre respiration.

Vous devez savoir
qu'absolument personne
d'autre ne sait ni ne ressent
ce que vous êtes venu accomplir
ici. Voilà pourquoi vous devez
vous donner la
permission d'écouter
votre guidance intérieure et
d'ignorer la pression des autres.

358

359

Quelle que soit votre religion,

chaque fois que vous voulez

communiquer avec votre Source,

vous devez le faire

sans méchanceté

ni haine dans le cœur.

La Source de

l'amour universel 360

ne connaît pas de frontières,

pas de coutumes différentes,

pas de divisions géographiques,

pas de séparations familiales ni de

différences de race, de credo, de

sexe, et ainsi de suite. Elle ne connaît

que l'amour *pour tous.*

361

L'occasion d'apporter de l'inspiration dans la vie des autres se présente tous les jours. Ou bien vous suivez ces impulsions et vous *vous sentez* *inspiré,* ou alors vous les ignorez et restez dans votre monde dominé par l'ego.

En mettant vos intentions
par écrit et en les ayant
à portée de main,

*vous nourrissez l'énergie
d'inspiration* qui vous
permettra de poursuivre
vos intérêts.

362

363

Être stimulé par quelque chose
est l'indice d'une pensée
connectée à votre mission —
et cette pensée est

 une vibration de l'énergie
dans ce vaste
Univers.

Vous êtes dans un corps
qui possède une tendance
naturelle vers la santé

et qui peut presque
tout surmonter

si vous le laissez

exercer sa

propre

magie.

364

Soyez à l'affût
des occasions d'être
une source d'inspiration,
en donnant simplement l'exemple.
En manifestant
votre connexion à l'Esprit,
vous inspirerez les autres
et ressentirez l'inspiration
couler en vous.

365

UN MOT SUR L'AUTEUR

Wayne W. Dyer, Ph.D., est un auteur de renommée mondiale et conférencier dans le domaine de la croissance personnelle. Il a écrit plus de 30 ouvrages, a créé de nombreux programmes audio de même que des vidéos et a participé à des milliers d'émissions à la télévision et à la radio. Ses livres *La force invisible*, *La Sagesse des anciens*, *Il existe une solution spirituelle à tous vos problèmes* et les best-sellers primés par le *New York Times*, *Les quatre voies du succès*, *Le pouvoir de l'intention*, *Inspiration* et *Changez vos pensées, changez votre vie*, ont tous fait l'objet d'émissions spéciales sur les chaînes nationales de télévision.

Wayne Dyer détient un doctorat en orientation pédagogique de l'Université d'État de Wayne et a été maître de conférences à l'Université St. John's de New York.

Site web: www.DrWayneDyer.com

NOTES

NOTES

NOTES

NOTES

NOTES

NOTES

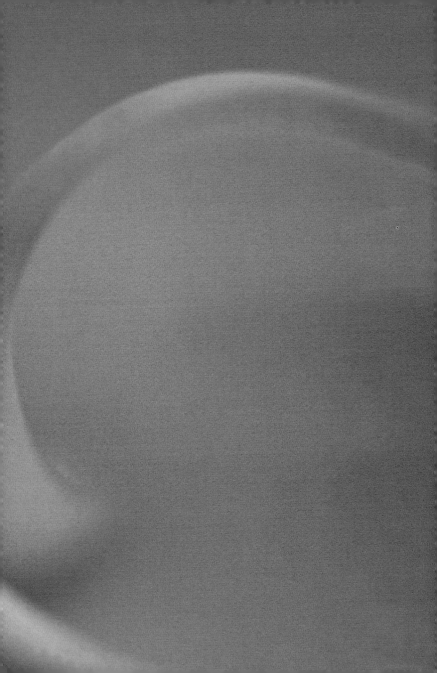

DU MÊME AUTEUR

LIVRES AUDIO :

LA SAGESSE DES ANCIENS

LE POUVOIR DE L'INTENTION

MÉDITATIONS POUR SE MANIFESTER

LES QUATRE VOIES DU SUCCÈS

GARDER LE CAP

INSPIRATION, L'APPEL DE VOTRE VIE

PENSÉES INSPIRANTES

Pour obtenir une copie de notre catalogue :

Éditions AdA Inc.

1385, boul. Lionel-Boulet, Varennes, Québec, J3X 1P7

Téléphone : (450) 929-0296, Télécopieur : (450) 929-0220

info@ada-inc.com

www.ada-inc.com

Pour l'Europe :

France : D.G. Diffusion Tél.: 05.61.00.09.99

Belgique : D.G. Diffusion Tél.: 05.61.00.09.99

Suisse : Transat Tél.: 23.42.77.40

WWW.ADA-INC.COM